4

학년이 꼭

이어야 한

사고력 연산

저자

왕수학연구소장 **박명전**

• 사고를 통한 연산 능력 증진
• 사고력과 연산 능력 향상의 이중 효과
• 코딩 교육의 기초를 다지는 사고력 향상

www.왕수학.com

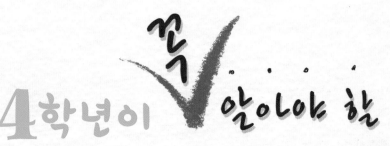 

4학년이 꼭 알아야 할 사고력연산

사고력연산 구성

- 1~2학년은 각각 1권씩, 3~6학년은 각각 2권씩으로 구성되어 있습니다.

- **개념** 연산의 기초개념과 원리를 다루었습니다.

- 사고력 기르기 **Step 1** 약간의 사고를 필요로 하는 연산 문제를 다루었습니다.

- 사고력 기르기 **Step 2** 좀 더 발전적인 사고를 필요로 하는 연산 문제를 다루었습니다.

- 실력 점검 한 단원을 마무리하는 문제를 다루었습니다.

사고력연산 특징

- 연산의 원리를 알고 계산할 수 있도록 구성하였습니다.

- 기초 연산 능력을 충분히 키울 수 있도록 구성하였습니다.

- 연산 능력과 사고력 향상이 동시에 이루어질 수 있는 문제를 다루었습니다.

- 사고를 통해 연산을 하는 과정에서 연산 능력이 저절로 향상될 수 있도록 구성하였습니다.

Contents

사고력연산

4학년

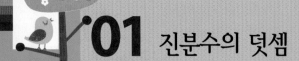

 ↩️ 분모가 같은 진분수끼리의 덧셈

- $\dfrac{1}{5} + \dfrac{3}{5} = \dfrac{1+3}{5} = \dfrac{4}{5}$

- $\dfrac{2}{5} + \dfrac{4}{5} = \dfrac{2+4}{5} = \dfrac{6}{5} = 1\dfrac{1}{5}$

➡ 분모가 같은 진분수끼리의 덧셈은 분모는 그대로 쓰고, 분자끼리 더합니다.
이때 계산한 결과가 가분수이면 대분수로 나타냅니다.

그림을 보고 ☐ 안에 알맞은 수를 써넣으시오. (01~04)

01

 $\dfrac{1}{3} + \dfrac{1}{3} = \dfrac{\square}{3}$

02

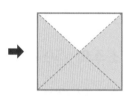 $\dfrac{2}{4} + \dfrac{1}{4} = \dfrac{\square}{4}$

03

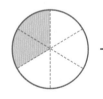

$\dfrac{2}{6} + \dfrac{5}{6} = \square\dfrac{\square}{6}$

04

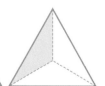

$\dfrac{2}{3} + \dfrac{2}{3} = \square\dfrac{\square}{3}$

□ 안에 알맞은 수를 써넣으시오. (05~08)

05 $\dfrac{4}{7} + \dfrac{2}{7} = \dfrac{\boxed{}+\boxed{}}{7} = \dfrac{\boxed{}}{7}$

06 $\dfrac{5}{9} + \dfrac{3}{9} = \dfrac{\boxed{}+\boxed{}}{9} = \dfrac{\boxed{}}{9}$

07 $\dfrac{5}{6} + \dfrac{4}{6} = \dfrac{\boxed{}+\boxed{}}{6} = \dfrac{\boxed{}}{6} = \boxed{}\dfrac{\boxed{}}{6}$

08 $\dfrac{7}{10} + \dfrac{9}{10} = \dfrac{\boxed{}+\boxed{}}{10} = \dfrac{\boxed{}}{10} = \boxed{}\dfrac{\boxed{}}{10}$

계산을 하시오. (09~16)

09 $\dfrac{1}{4} + \dfrac{1}{4}$

10 $\dfrac{2}{5} + \dfrac{2}{5}$

11 $\dfrac{3}{10} + \dfrac{5}{10}$

12 $\dfrac{7}{12} + \dfrac{4}{12}$

13 $\dfrac{5}{7} + \dfrac{6}{7}$

14 $\dfrac{6}{9} + \dfrac{7}{9}$

15 $\dfrac{11}{13} + \dfrac{7}{13}$

16 $\dfrac{8}{15} + \dfrac{9}{15}$

사고력 기르기

  □ 안에 알맞은 수를 써넣으시오. (01~12)

01 $\dfrac{3}{7} + \dfrac{\square}{7} = \dfrac{5}{7}$

02 $\dfrac{\square}{8} + \dfrac{3}{8} = \dfrac{6}{8}$

03 $\dfrac{2}{5} + \dfrac{\square}{5} = \dfrac{3}{5}$

04 $\dfrac{\square}{9} + \dfrac{3}{9} = \dfrac{7}{9}$

05 $\dfrac{1}{6} + \dfrac{\square}{6} = 1$

06 $\dfrac{\square}{10} + \dfrac{3}{10} = 1$

07 $\dfrac{6}{8} + \dfrac{\square}{8} = 1\dfrac{2}{8}$

08 $\dfrac{\square}{11} + \dfrac{8}{11} = 1\dfrac{4}{11}$

09 $\dfrac{8}{12} + \dfrac{\square}{12} = 1\dfrac{7}{12}$

10 $\dfrac{\square}{13} + \dfrac{9}{13} = 1\dfrac{6}{13}$

11 $\dfrac{13}{15} + \dfrac{\square}{15} = 1\dfrac{10}{15}$

12 $\dfrac{\square}{17} + \dfrac{15}{17} = 1\dfrac{13}{17}$

  두 진분수끼리의 합의 크기를 비교한 것입니다. □ 안에 들어갈 수 있는 수는 모두 몇 개인지 구하시오. (13~14)

13
$$0 < \dfrac{6}{10} + \dfrac{\square}{10} < 1$$

(   )

14
$$1 < \dfrac{\square}{12} + \dfrac{5}{12} < 2$$

(   )

15 두 진분수의 합이 진분수가 되도록 □ 안에 알맞은 수를 써넣으시오. (단, ☆ > ♡ 입니다.)

$$\frac{☆}{7} + \frac{♡}{7} = \boxed{}$$

$$\frac{\boxed{}}{7} + \frac{\boxed{}}{7} = \boxed{} \qquad \frac{\boxed{}}{7} + \frac{\boxed{}}{7} = \boxed{} \qquad \frac{\boxed{}}{7} + \frac{\boxed{}}{7} = \boxed{}$$

$$\frac{\boxed{}}{7} + \frac{\boxed{}}{7} = \boxed{} \qquad \frac{\boxed{}}{7} + \frac{\boxed{}}{7} = \boxed{} \qquad \frac{\boxed{}}{7} + \frac{\boxed{}}{7} = \boxed{}$$

16 두 진분수의 합이 가분수가 되도록 □ 안에 알맞은 수를 써넣으시오. (단, ☆ > ♡ 입니다.)

$$\frac{☆}{7} + \frac{♡}{7} = \boxed{}$$

$$\frac{\boxed{}}{7} + \frac{\boxed{}}{7} = \boxed{} \qquad \frac{\boxed{}}{7} + \frac{\boxed{}}{7} = \boxed{} \qquad \frac{\boxed{}}{7} + \frac{\boxed{}}{7} = \boxed{}$$

$$\frac{\boxed{}}{7} + \frac{\boxed{}}{7} = \boxed{} \qquad \frac{\boxed{}}{7} + \frac{\boxed{}}{7} = \boxed{} \qquad \frac{\boxed{}}{7} + \frac{\boxed{}}{7} = \boxed{}$$

$$\frac{\boxed{}}{7} + \frac{\boxed{}}{7} = \boxed{} \qquad \frac{\boxed{}}{7} + \frac{\boxed{}}{7} = \boxed{} \qquad \frac{\boxed{}}{7} + \frac{\boxed{}}{7} = \boxed{}$$

 □ 안에 알맞은 수를 구하시오. (01~02)

01

$$\frac{5}{\square} + \frac{8}{\square} = 1\frac{4}{\square}$$

(   )

02

$$\frac{7}{\square} + \frac{9}{\square} = 1\frac{4}{\square}$$

(   )

 다음의 분수를 서로 다른 진분수의 합으로 나타내시오. (단, ☆ < ◆ < ♥ 입니다.) (03~04)

03

$$\frac{8}{9} = \frac{☆}{9} + \frac{◆}{9} + \frac{♥}{9}$$

$$\frac{8}{9} = \frac{\square}{9} + \frac{\square}{9} + \frac{\square}{9} \qquad \frac{8}{9} = \frac{\square}{9} + \frac{\square}{9} + \frac{\square}{9}$$

04

$$\frac{11}{12} = \frac{☆}{12} + \frac{◆}{12} + \frac{♥}{12}$$

$$\frac{11}{12} = \frac{\square}{12} + \frac{\square}{12} + \frac{\square}{12} \qquad \frac{11}{12} = \frac{\square}{12} + \frac{\square}{12} + \frac{\square}{12}$$

$$\frac{11}{12} = \frac{\square}{12} + \frac{\square}{12} + \frac{\square}{12} \qquad \frac{11}{12} = \frac{\square}{12} + \frac{\square}{12} + \frac{\square}{12}$$

$$\frac{11}{12} = \frac{\square}{12} + \frac{\square}{12} + \frac{\square}{12}$$

05   다음의 분수를 ○ 안에 써넣어 같은 줄에 있는 세 분수의 합이 모두 같도록 하시오.

$$\frac{1}{10} \quad \frac{2}{10} \quad \frac{3}{10}$$
$$\frac{4}{10} \quad \frac{5}{10} \quad \frac{6}{10}$$
$$\frac{7}{10} \quad \frac{8}{10} \quad \frac{9}{10}$$

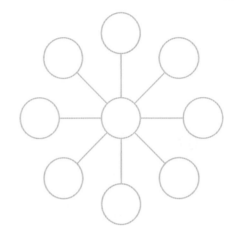

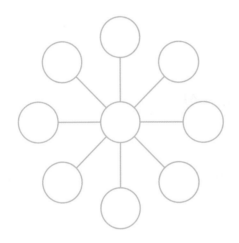

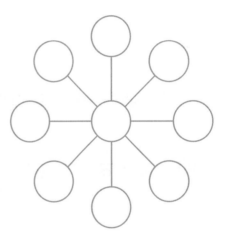

 다음의 분수를 빈칸에 써넣어 가로 방향, 세로 방향, 대각선 방향의 세 분수의 합이 모두 같도록 하시오. (06~07)

06

$$\frac{2}{10}, \frac{4}{10}, \frac{6}{10}, \frac{7}{10}, \frac{9}{10}$$

$\frac{8}{10}$	$\frac{1}{10}$	
$\frac{3}{10}$	$\frac{5}{10}$	

07

$$\frac{1}{12}, \frac{3}{12}, \frac{4}{12}, \frac{6}{12}, \frac{8}{12}$$

$\frac{2}{12}$	$\frac{9}{12}$	
$\frac{7}{12}$	$\frac{5}{12}$	

 그림을 보고 ☐ 안에 알맞은 수를 써넣으시오. (01~02)

01

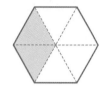

$$\frac{2}{6} + \frac{3}{6} = \frac{\boxed{}}{6}$$

02

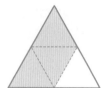

$$\frac{3}{4} + \frac{3}{4} = \boxed{} \frac{\boxed{}}{4}$$

 ☐ 안에 알맞은 수를 써넣으시오. (03~04)

03 $\dfrac{7}{9} + \dfrac{1}{9} = \dfrac{\boxed{}+\boxed{}}{9} = \dfrac{\boxed{}}{9}$

04 $\dfrac{4}{11} + \dfrac{9}{11} = \dfrac{\boxed{}+\boxed{}}{11} = \dfrac{\boxed{}}{11} = \boxed{}\dfrac{\boxed{}}{11}$

 계산을 하시오. (05~12)

05 $\dfrac{3}{8} + \dfrac{2}{8}$

06 $\dfrac{2}{7} + \dfrac{3}{7}$

07 $\dfrac{1}{10} + \dfrac{6}{10}$

08 $\dfrac{7}{12} + \dfrac{3}{12}$

09 $\dfrac{4}{9} + \dfrac{7}{9}$

10 $\dfrac{7}{11} + \dfrac{10}{11}$

11 $\dfrac{9}{13} + \dfrac{8}{13}$

12 $\dfrac{13}{15} + \dfrac{12}{15}$

 □ 안에 알맞은 수를 써넣으시오. (13~18)

13 $\dfrac{3}{8} + \dfrac{\square}{8} = \dfrac{7}{8}$

14 $\dfrac{\square}{9} + \dfrac{3}{9} = \dfrac{8}{9}$

15 $\dfrac{5}{6} + \dfrac{\square}{6} = 1\dfrac{4}{6}$

16 $\dfrac{\square}{10} + \dfrac{4}{10} = 1\dfrac{3}{10}$

17 $\dfrac{6}{7} + \dfrac{\square}{7} = 1\dfrac{5}{7}$

18 $\dfrac{\square}{12} + \dfrac{8}{12} = 1\dfrac{3}{12}$

 두 진분수끼리의 합의 크기를 비교한 것입니다. □ 안에 들어갈 수 있는 수는 모두 몇 개인지 구하시오. (19~20)

19 $0 < \dfrac{9}{13} + \dfrac{\square}{13} < 1$ (   )

20 $1 < \dfrac{\square}{15} + \dfrac{6}{15} < 2$ (   )

 ■ 안에 알맞은 수를 구하시오. (21~22)

21 $\dfrac{8}{■} + \dfrac{7}{■} = 1\dfrac{6}{■}$ (   )

22 $\dfrac{8}{■} + \dfrac{11}{■} = 1\dfrac{4}{■}$ (   )

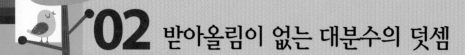

'02 받아올림이 없는 대분수의 덧셈

• $1\frac{2}{5}+2\frac{1}{5}$ 의 계산

① 자연수는 자연수끼리, 분수는 분수끼리 더합니다.

$$1\frac{2}{5}+2\frac{1}{5}=(1+2)+\left(\frac{2}{5}+\frac{1}{5}\right)=3+\frac{3}{5}=3\frac{3}{5}$$

② 대분수를 가분수로 고쳐서 계산합니다.

$$1\frac{2}{5}+2\frac{1}{5}=\frac{7}{5}+\frac{11}{5}=\frac{18}{5}=3\frac{3}{5}$$

그림을 보고 □ 안에 알맞은 수를 써넣으시오. (01~03)

01

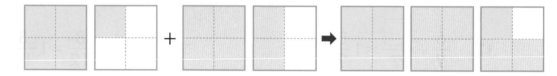

$$1\frac{1}{4}+1\frac{2}{4}=(1+\boxed{})+\left(\frac{1}{4}+\frac{\boxed{}}{4}\right)=\boxed{}+\frac{\boxed{}}{4}=\boxed{}\frac{\boxed{}}{4}$$

02

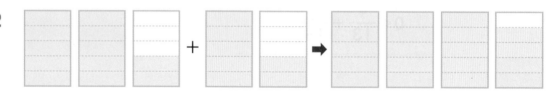

$$2\frac{2}{5}+1\frac{2}{5}=(2+\boxed{})+\left(\frac{2}{5}+\frac{\boxed{}}{5}\right)=\boxed{}+\frac{\boxed{}}{5}=\boxed{}\frac{\boxed{}}{5}$$

03

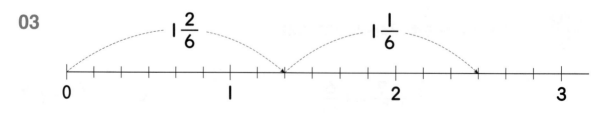

$$1\frac{2}{6}+1\frac{1}{6}=\boxed{}\frac{\boxed{}}{6}$$

□ 안에 알맞은 수를 써넣으시오. (04~05)

04 $3\dfrac{1}{4}+2\dfrac{2}{4}=(3+\boxed{})+\left(\dfrac{1}{4}+\dfrac{\boxed{}}{4}\right)=\boxed{}+\dfrac{\boxed{}}{4}=\boxed{}\dfrac{\boxed{}}{4}$

05 $2\dfrac{2}{7}+3\dfrac{3}{7}=(2+\boxed{})+\left(\dfrac{2}{7}+\dfrac{\boxed{}}{7}\right)=\boxed{}+\dfrac{\boxed{}}{7}=\boxed{}\dfrac{\boxed{}}{7}$

 □ 안에 알맞은 수를 써넣으시오. (06~07)

06 $2\dfrac{1}{3}+1\dfrac{1}{3}=\dfrac{\boxed{}}{3}+\dfrac{\boxed{}}{3}=\dfrac{\boxed{}}{3}=\boxed{}\dfrac{\boxed{}}{3}$

07 $1\dfrac{3}{5}+2\dfrac{1}{5}=\dfrac{\boxed{}}{5}+\dfrac{\boxed{}}{5}=\dfrac{\boxed{}}{5}=\boxed{}\dfrac{\boxed{}}{5}$

 계산을 하시오. (08~15)

08 $4\dfrac{1}{4}+2\dfrac{2}{4}$ **09** $2\dfrac{3}{5}+3\dfrac{1}{5}$

10 $2\dfrac{3}{6}+2\dfrac{2}{6}$ **11** $4\dfrac{5}{7}+3\dfrac{1}{7}$

12 $4\dfrac{2}{8}+2\dfrac{5}{8}$ **13** $2\dfrac{7}{10}+1\dfrac{2}{10}$

14 $3\dfrac{5}{12}+2\dfrac{6}{12}$ **15** $2\dfrac{7}{15}+4\dfrac{5}{15}$

□ 안에 알맞은 수를 써넣으시오. (01~08)

01 $\boxed{}\dfrac{1}{5}+2\dfrac{3}{5}=3\dfrac{4}{5}$

02 $\boxed{}\dfrac{1}{4}+3\dfrac{2}{4}=5\dfrac{3}{4}$

03 $7\dfrac{3}{8}+\boxed{}\dfrac{4}{8}=9\dfrac{7}{8}$

04 $6\dfrac{4}{9}+\boxed{}\dfrac{2}{9}=9\dfrac{6}{9}$

05 $2\dfrac{\boxed{}}{6}+3\dfrac{2}{6}=5\dfrac{5}{6}$

06 $4\dfrac{\boxed{}}{9}+3\dfrac{7}{9}=7\dfrac{8}{9}$

07 $1\dfrac{5}{10}+4\dfrac{\boxed{}}{10}=5\dfrac{8}{10}$

08 $4\dfrac{7}{12}+6\dfrac{\boxed{}}{12}=10\dfrac{11}{12}$

 □ 안에 들어갈 수 있는 수를 모두 구하시오. (09~11)

09 $2\dfrac{2}{8}+5\dfrac{3}{8}>7\dfrac{\boxed{}}{8}$ ➡ (   )

10 $3\dfrac{1}{9}+2\dfrac{3}{9}>5\dfrac{\boxed{}}{9}$ ➡ (   )

11 $5\dfrac{3}{11}+4\dfrac{4}{11}<9\dfrac{\boxed{}}{11}$ ➡ (   )

주어진 식에서 ■ < ▲ < ● 입니다. 조건을 만족하는 덧셈식을 모두 만들어 보시오. (12~14)

12

$$1\frac{■}{5}+2\frac{▲}{5}=3\frac{●}{5}$$

$$1\frac{\square}{5}+2\frac{\square}{5}=3\frac{\square}{5} \qquad 1\frac{\square}{5}+2\frac{\square}{5}=3\frac{\square}{5}$$

13

$$3\frac{■}{7}+2\frac{▲}{7}=5\frac{●}{7}$$

$$3\frac{\square}{7}+2\frac{\square}{7}=5\frac{\square}{7} \qquad 3\frac{\square}{7}+2\frac{\square}{7}=5\frac{\square}{7}$$

$$3\frac{\square}{7}+2\frac{\square}{7}=5\frac{\square}{7} \qquad 3\frac{\square}{7}+2\frac{\square}{7}=5\frac{\square}{7}$$

$$3\frac{\square}{7}+2\frac{\square}{7}=5\frac{\square}{7} \qquad 3\frac{\square}{7}+2\frac{\square}{7}=5\frac{\square}{7}$$

14

$$4\frac{■}{8}+3\frac{▲}{8}=7\frac{●}{8}$$

$$4\frac{\square}{8}+3\frac{\square}{8}=7\frac{\square}{8} \qquad 4\frac{\square}{8}+3\frac{\square}{8}=7\frac{\square}{8}$$

$$4\frac{\square}{8}+3\frac{\square}{8}=7\frac{\square}{8} \qquad 4\frac{\square}{8}+3\frac{\square}{8}=7\frac{\square}{8}$$

$$4\frac{\square}{8}+3\frac{\square}{8}=7\frac{\square}{8} \qquad 4\frac{\square}{8}+3\frac{\square}{8}=7\frac{\square}{8}$$

$$4\frac{\square}{8}+3\frac{\square}{8}=7\frac{\square}{8} \qquad 4\frac{\square}{8}+3\frac{\square}{8}=7\frac{\square}{8}$$

사고력 기르기

 □ 안에 들어갈 수 있는 가장 큰 수는 얼마인지 구하시오. (01~04)

01

$$3\frac{1}{4} + 2\frac{1}{4} > \frac{\square}{4}$$

(   )

02

$$2\frac{4}{6} + 2\frac{1}{6} > \frac{\square}{6}$$

(   )

03

$$5\frac{1}{7} + 2\frac{3}{7} > \frac{\square}{7}$$

(   )

04

$$4\frac{3}{10} + 2\frac{5}{10} > \frac{\square}{10}$$

(   )

 □ 안에 들어갈 수 있는 가장 작은 수는 얼마인지 구하시오. (05~08)

05

$$3\frac{2}{5} + 2\frac{1}{5} < \frac{\square}{5}$$

(   )

06

$$3\frac{2}{8} + 1\frac{3}{8} < \frac{\square}{8}$$

(   )

07

$$4\frac{3}{9} + 2\frac{4}{9} < \frac{\square}{9}$$

(   )

08

$$2\frac{3}{12} + 2\frac{4}{12} < \frac{\square}{12}$$

(   )

09 숫자 카드 2 , 3 , 5 , 9 를 한 번씩 □ 안에 넣어 덧셈식이 성립되도록 하시오. (단, 더하는 순서만 바꾼 것은 한 가지 식으로 생각합니다.)

$$\square\frac{\square}{12} + \square\frac{\square}{12} = 8\frac{11}{12} \qquad \square\frac{\square}{12} + \square\frac{\square}{12} = 8\frac{11}{12}$$

주어진 식에서 ■ < ▲ < ● 입니다. 조건을 만족하는 덧셈식을 모두 만들어 보시오. (10~12)

10

$$1\frac{\blacksquare}{9}+2\frac{\blacktriangle}{9}+1\frac{\bullet}{9}=4\frac{8}{9}$$

$$1\frac{\square}{9}+2\frac{\square}{9}+1\frac{\square}{9}=4\frac{8}{9} \qquad 1\frac{\square}{9}+2\frac{\square}{9}+1\frac{\square}{9}=4\frac{8}{9}$$

11

$$2\frac{\blacksquare}{12}+1\frac{\blacktriangle}{12}+3\frac{\bullet}{12}=6\frac{10}{12}$$

$$2\frac{\square}{12}+1\frac{\square}{12}+3\frac{\square}{12}=6\frac{10}{12} \qquad 2\frac{\square}{12}+1\frac{\square}{12}+3\frac{\square}{12}=6\frac{10}{12}$$

$$2\frac{\square}{12}+1\frac{\square}{12}+3\frac{\square}{12}=6\frac{10}{12} \qquad 2\frac{\square}{12}+1\frac{\square}{12}+3\frac{\square}{12}=6\frac{10}{12}$$

12

$$3\frac{\blacksquare}{15}+2\frac{\blacktriangle}{15}+3\frac{\bullet}{15}=8\frac{11}{15}$$

$$3\frac{\square}{15}+2\frac{\square}{15}+3\frac{\square}{15}=8\frac{11}{15} \qquad 3\frac{\square}{15}+2\frac{\square}{15}+3\frac{\square}{15}=8\frac{11}{15}$$

$$3\frac{\square}{15}+2\frac{\square}{15}+3\frac{\square}{15}=8\frac{11}{15} \qquad 3\frac{\square}{15}+2\frac{\square}{15}+3\frac{\square}{15}=8\frac{11}{15}$$

$$3\frac{\square}{15}+2\frac{\square}{15}+3\frac{\square}{15}=8\frac{11}{15}$$

실력 점검

 □ 안에 알맞은 수를 써넣으시오. (01~03)

01

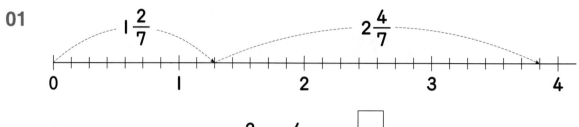

$$1\frac{2}{7}+2\frac{4}{7}=\boxed{}\frac{\boxed{}}{7}$$

02 $\quad 4\frac{2}{9}+2\frac{5}{9}=\left(4+\boxed{}\right)+\left(\frac{2}{9}+\frac{\boxed{}}{9}\right)=\boxed{}+\frac{\boxed{}}{9}=\boxed{}\frac{\boxed{}}{9}$

03 $\quad 2\frac{3}{10}+1\frac{4}{10}=\frac{\boxed{}}{10}+\frac{\boxed{}}{10}=\frac{\boxed{}}{10}=\boxed{}\frac{\boxed{}}{10}$

 계산을 하시오. (04~11)

04 $\quad 2\frac{1}{3}+1\frac{1}{3}$ 　　　　　**05** $\quad 4\frac{3}{7}+2\frac{3}{7}$

06 $\quad 1\frac{2}{11}+2\frac{8}{11}$ 　　　　　**07** $\quad 2\frac{7}{13}+1\frac{3}{13}$

08 $\quad 2\frac{6}{9}+3\frac{2}{9}$ 　　　　　**09** $\quad 4\frac{3}{15}+2\frac{4}{15}$

10 $\quad 7\frac{3}{8}+2\frac{4}{8}$ 　　　　　**11** $\quad 3\frac{7}{18}+2\frac{8}{18}$

 □ 안에 들어갈 수 있는 수를 모두 구하시오. (12~13)

12

$$4\frac{3}{8}+2\frac{2}{8}>6\frac{\square}{8}$$

➡ (   )

13

$$3\frac{5}{12}+2\frac{3}{12}<5\frac{\square}{12}$$

➡ (   )

14 주어진 식에서 ■<▲<● 입니다. 조건을 만족하는 덧셈식을 모두 만들어 보시오.

$$2\frac{\blacksquare}{6}+4\frac{\blacktriangle}{6}=6\frac{\bullet}{6}$$

$$2\frac{\square}{6}+4\frac{\square}{6}=6\frac{\square}{6} \qquad 2\frac{\square}{6}+4\frac{\square}{6}=6\frac{\square}{6}$$

$$2\frac{\square}{6}+4\frac{\square}{6}=6\frac{\square}{6} \qquad 2\frac{\square}{6}+4\frac{\square}{6}=6\frac{\square}{6}$$

 □ 안에 들어갈 수 있는 가장 큰 수는 얼마인지 구하시오. (15~16)

15

$$2\frac{2}{4}+3\frac{1}{4}>\frac{\square}{4}$$

(   )

16

$$3\frac{2}{7}+2\frac{4}{7}>\frac{\square}{7}$$

(   )

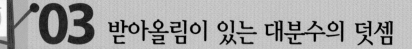

03 받아올림이 있는 대분수의 덧셈

- $2\frac{2}{5}+1\frac{4}{5}$의 계산

① 자연수는 자연수끼리, 분수는 분수끼리 더합니다. 이때 분수끼리 계산한 결과가 가분수이면 대분수로 나타냅니다.

$$2\frac{2}{5}+1\frac{4}{5}=(2+1)+\left(\frac{2}{5}+\frac{4}{5}\right)=3+\frac{6}{5}=3+1\frac{1}{5}=4\frac{1}{5}$$

② 대분수를 가분수로 고쳐서 계산합니다.

$$2\frac{2}{5}+1\frac{4}{5}=\frac{12}{5}+\frac{9}{5}=\frac{21}{5}=4\frac{1}{5}$$

✿ 그림을 보고 ☐ 안에 알맞은 수를 써넣으시오. (01~03)

01

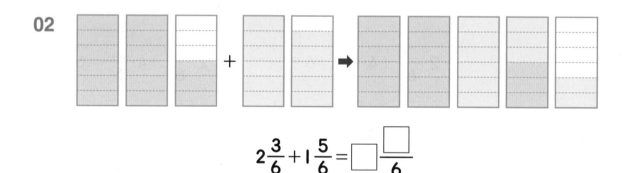

$$1\frac{2}{4}+1\frac{3}{4}=\boxed{}\frac{\boxed{}}{4}$$

02

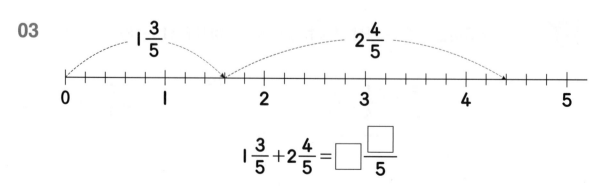

$$2\frac{3}{6}+1\frac{5}{6}=\boxed{}\frac{\boxed{}}{6}$$

03

$$1\frac{3}{5}+2\frac{4}{5}=\boxed{}\frac{\boxed{}}{5}$$

□ 안에 알맞은 수를 써넣으시오. (04~05)

04　$2\dfrac{3}{7}+1\dfrac{6}{7}=(2+\boxed{})+\left(\dfrac{3}{7}+\dfrac{\boxed{}}{7}\right)=\boxed{}+\boxed{}\dfrac{\boxed{}}{7}=\boxed{}\dfrac{\boxed{}}{7}$

05　$3\dfrac{6}{9}+2\dfrac{5}{9}=(3+\boxed{})+\left(\dfrac{6}{9}+\dfrac{\boxed{}}{9}\right)=\boxed{}+\boxed{}\dfrac{\boxed{}}{9}=\boxed{}\dfrac{\boxed{}}{9}$

□ 안에 알맞은 수를 써넣으시오. (06~07)

06　$1\dfrac{5}{8}+2\dfrac{7}{8}=\dfrac{\boxed{}}{8}+\dfrac{\boxed{}}{8}=\dfrac{\boxed{}}{8}=\boxed{}\dfrac{\boxed{}}{8}$

07　$2\dfrac{7}{10}+3\dfrac{5}{10}=\dfrac{\boxed{}}{10}+\dfrac{\boxed{}}{10}=\dfrac{\boxed{}}{10}=\boxed{}\dfrac{\boxed{}}{10}$

계산을 하시오. (08~15)

08　$1\dfrac{5}{9}+2\dfrac{7}{9}$　　　　09　$3\dfrac{4}{5}+2\dfrac{3}{5}$

10　$2\dfrac{5}{6}+4\dfrac{3}{6}$　　　　11　$3\dfrac{7}{8}+2\dfrac{5}{8}$

12　$4\dfrac{8}{10}+2\dfrac{9}{10}$　　　　13　$3\dfrac{7}{11}+2\dfrac{9}{11}$

14　$1\dfrac{8}{15}+2\dfrac{13}{15}$　　　　15　$3\dfrac{7}{12}+4\dfrac{9}{12}$

 □ 안에 알맞은 수를 써넣으시오. (01~12)

01 $3\frac{3}{4}+\square\frac{2}{4}=6\frac{1}{4}$

02 $4\frac{5}{7}+\square\frac{6}{7}=7\frac{4}{7}$

03 $\square\frac{5}{6}+2\frac{4}{6}=7\frac{3}{6}$

04 $\square\frac{7}{8}+3\frac{5}{8}=9\frac{4}{8}$

05 $2\frac{3}{8}+4\frac{\square}{8}=7\frac{2}{8}$

06 $7\frac{6}{9}+2\frac{\square}{9}=10\frac{1}{9}$

07 $3\frac{3}{10}+2\frac{\square}{10}=6\frac{1}{10}$

08 $4\frac{8}{11}+3\frac{\square}{11}=8\frac{5}{11}$

09 $3\frac{\square}{7}+3\frac{5}{7}=7\frac{4}{7}$

10 $5\frac{\square}{5}+2\frac{4}{5}=8\frac{2}{5}$

11 $4\frac{\square}{12}+2\frac{11}{12}=7\frac{6}{12}$

12 $5\frac{\square}{13}+2\frac{8}{13}=8\frac{7}{13}$

 두 대분수끼리의 합의 크기를 비교한 것입니다. □ 안에 들어갈 수 있는 수는 모두 몇 개인지 구하시오. (13~14)

13 $4\frac{5}{12}+2\frac{\square}{12}>7$　　　　　　　(　　　　　　　　)

14 $3\frac{\square}{15}+5\frac{6}{15}>9$　　　　　　　(　　　　　　　　)

주어진 식에서 ■ > ▲ > ● 입니다. 조건을 만족하는 덧셈식을 모두 만들어 보시오. (15~17)

15

$$1\dfrac{\blacksquare}{5}+2\dfrac{\blacktriangle}{5}=4\dfrac{\bullet}{5}$$

$$1\dfrac{\square}{5}+2\dfrac{\square}{5}=4\dfrac{\square}{5} \qquad 1\dfrac{\square}{5}+2\dfrac{\square}{5}=4\dfrac{\square}{5}$$

16

$$3\dfrac{\blacksquare}{7}+4\dfrac{\blacktriangle}{7}=8\dfrac{\bullet}{7}$$

$$3\dfrac{\square}{7}+4\dfrac{\square}{7}=8\dfrac{\square}{7} \qquad 3\dfrac{\square}{7}+4\dfrac{\square}{7}=8\dfrac{\square}{7}$$

$$3\dfrac{\square}{7}+4\dfrac{\square}{7}=8\dfrac{\square}{7} \qquad 3\dfrac{\square}{7}+4\dfrac{\square}{7}=8\dfrac{\square}{7}$$

$$3\dfrac{\square}{7}+4\dfrac{\square}{7}=8\dfrac{\square}{7} \qquad 3\dfrac{\square}{7}+4\dfrac{\square}{7}=8\dfrac{\square}{7}$$

17

$$2\dfrac{\blacksquare}{8}+6\dfrac{\blacktriangle}{8}=9\dfrac{\bullet}{8}$$

$$2\dfrac{\square}{8}+6\dfrac{\square}{8}=9\dfrac{\square}{8} \qquad 2\dfrac{\square}{8}+6\dfrac{\square}{8}=9\dfrac{\square}{8}$$

$$2\dfrac{\square}{8}+6\dfrac{\square}{8}=9\dfrac{\square}{8} \qquad 2\dfrac{\square}{8}+6\dfrac{\square}{8}=9\dfrac{\square}{8}$$

$$2\dfrac{\square}{8}+6\dfrac{\square}{8}=9\dfrac{\square}{8} \qquad 2\dfrac{\square}{8}+6\dfrac{\square}{8}=9\dfrac{\square}{8}$$

$$2\dfrac{\square}{8}+6\dfrac{\square}{8}=9\dfrac{\square}{8} \qquad 2\dfrac{\square}{8}+6\dfrac{\square}{8}=9\dfrac{\square}{8}$$

사고력 기르기

 ⬛는 모두 같은 자연수를 나타낼 때 ⬛를 구하시오. (01~04)

01

$$1\frac{7}{\square}+3\frac{5}{\square}=5\frac{4}{\square}$$

(   )

02

$$3\frac{8}{\square}+2\frac{4}{\square}=6\frac{3}{\square}$$

(   )

03

$$2\frac{8}{\square}+1\frac{7}{\square}=4\frac{5}{\square}$$

(   )

04

$$4\frac{5}{\square}+5\frac{5}{\square}=10\frac{4}{\square}$$

(   )

□ 안에 공통으로 들어갈 수 있는 수를 모두 구하시오. (05~07)

05

$$3\frac{1}{8}+2\frac{\square}{8}<6\frac{1}{8}\qquad 2\frac{\square}{9}+2\frac{5}{9}>5\frac{1}{9}$$

(   )

06

$$2\frac{2}{7}+3\frac{\square}{7}<6\frac{1}{7}\qquad 5\frac{\square}{6}+2\frac{5}{6}>8\frac{1}{6}$$

(   )

07

$$4\frac{4}{10}+2\frac{\square}{10}<7\frac{1}{10}\qquad 6\frac{\square}{12}+3\frac{10}{12}>10\frac{1}{12}$$

(   )

주어진 식에서 ■－▲＝▲－●입니다. 조건을 만족하는 덧셈식을 모두 만들어 보시오.

(08~10)

08

$$2\frac{\blacksquare}{8}+1\frac{\blacktriangle}{8}=4\frac{\bullet}{8}$$

$$2\frac{\square}{8}+1\frac{\square}{8}=4\frac{\square}{8} \qquad 2\frac{\square}{8}+1\frac{\square}{8}=4\frac{\square}{8}$$

09

$$3\frac{\blacksquare}{10}+4\frac{\blacktriangle}{10}=8\frac{\bullet}{10}$$

$$3\frac{\square}{10}+4\frac{\square}{10}=8\frac{\square}{10} \qquad 3\frac{\square}{10}+4\frac{\square}{10}=8\frac{\square}{10}$$

$$3\frac{\square}{10}+4\frac{\square}{10}=8\frac{\square}{10}$$

10

$$2\frac{\blacksquare}{18}+5\frac{\blacktriangle}{18}=8\frac{\bullet}{18}$$

$$2\frac{\square}{18}+5\frac{\square}{18}=8\frac{\square}{18} \qquad 2\frac{\square}{18}+5\frac{\square}{18}=8\frac{\square}{18}$$

$$2\frac{\square}{18}+5\frac{\square}{18}=8\frac{\square}{18} \qquad 2\frac{\square}{18}+5\frac{\square}{18}=8\frac{\square}{18}$$

$$2\frac{\square}{18}+5\frac{\square}{18}=8\frac{\square}{18}$$

실력 점검

 □ 안에 알맞은 수를 써넣으시오. (01~03)

01

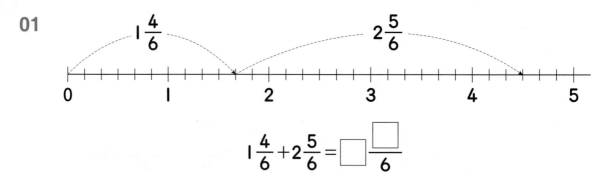

$$1\frac{4}{6}+2\frac{5}{6}=\boxed{}\frac{\boxed{}}{6}$$

02 $\quad 3\frac{5}{7}+4\frac{6}{7}=\left(3+\boxed{}\right)+\left(\frac{5}{7}+\frac{\boxed{}}{7}\right)=\boxed{}+\boxed{}\frac{\boxed{}}{7}=\boxed{}\frac{\boxed{}}{7}$

03 $\quad 2\frac{4}{9}+1\frac{7}{9}=\frac{\boxed{}}{9}+\frac{\boxed{}}{9}=\frac{\boxed{}}{9}=\boxed{}\frac{\boxed{}}{9}$

 계산을 하시오. (04~11)

04 $\quad 1\frac{5}{6}+3\frac{4}{6}$

05 $\quad 3\frac{7}{8}+2\frac{5}{8}$

06 $\quad 3\frac{6}{10}+2\frac{8}{10}$

07 $\quad 2\frac{3}{4}+5\frac{3}{4}$

08 $\quad 4\frac{8}{9}+3\frac{7}{9}$

09 $\quad 3\frac{7}{12}+5\frac{10}{12}$

10 $\quad 3\frac{9}{18}+4\frac{13}{18}$

11 $\quad 2\frac{17}{20}+5\frac{13}{20}$

 두 대분수끼리의 합의 크기를 비교한 것입니다. □ 안에 들어갈 수 있는 수는 모두 몇개인지 구하시오. (12~13)

12

$$5\frac{4}{10}+2\frac{\square}{10}>8$$

(   )

13

$$4\frac{\square}{12}+5\frac{6}{12}>10$$

(   )

14 주어진 식에서 ■ > ▲ > ● 입니다. 조건을 만족하는 덧셈식을 모두 만들어 보시오.

$$2\frac{■}{6}+1\frac{▲}{6}=4\frac{●}{6}$$

$$2\frac{\square}{6}+1\frac{\square}{6}=4\frac{\square}{6} \qquad 2\frac{\square}{6}+1\frac{\square}{6}=4\frac{\square}{6}$$

$$2\frac{\square}{6}+1\frac{\square}{6}=4\frac{\square}{6} \qquad 2\frac{\square}{6}+1\frac{\square}{6}=4\frac{\square}{6}$$

 ■는 모두 같은 자연수를 나타낼 때 ■를 구하시오. (15~16)

15

$$2\frac{8}{■}+3\frac{7}{■}=6\frac{6}{■}$$

(   )

16

$$3\frac{9}{■}+4\frac{11}{■}=8\frac{8}{■}$$

(   )

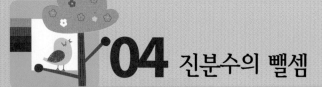

04 진분수의 뺄셈

진분수의 뺄셈

$$\frac{5}{6} - \frac{2}{6} = \frac{5-2}{6} = \frac{3}{6}$$

진분수의 뺄셈은 분모는 그대로 쓰고, 분자끼리 뺍니다.

☐ 안에 알맞은 수를 써넣으시오. (01~04)

01 $\dfrac{2}{3}$는 $\dfrac{1}{3}$이 ☐개, $\dfrac{1}{3}$은 $\dfrac{1}{3}$이 ☐개

➡ $\dfrac{2}{3} - \dfrac{1}{3}$은 $\dfrac{1}{3}$이 ☐개 ➡ $\dfrac{2}{3} - \dfrac{1}{3} = \dfrac{☐}{3}$

02 $\dfrac{4}{5}$는 $\dfrac{1}{5}$이 ☐개, $\dfrac{2}{5}$는 $\dfrac{1}{5}$이 ☐개

➡ $\dfrac{4}{5} - \dfrac{2}{5}$는 $\dfrac{1}{5}$이 ☐개 ➡ $\dfrac{4}{5} - \dfrac{2}{5} = \dfrac{☐}{5}$

03 $\dfrac{6}{7}$은 $\dfrac{1}{7}$이 ☐개, $\dfrac{4}{7}$는 $\dfrac{1}{7}$이 ☐개

➡ $\dfrac{6}{7} - \dfrac{4}{7}$는 $\dfrac{1}{7}$이 ☐개 ➡ $\dfrac{6}{7} - \dfrac{4}{7} = \dfrac{☐}{7}$

04 $\dfrac{7}{10}$은 $\dfrac{1}{10}$이 ☐개, $\dfrac{3}{10}$은 $\dfrac{1}{10}$이 ☐개

➡ $\dfrac{7}{10} - \dfrac{3}{10}$은 $\dfrac{1}{10}$이 ☐개 ➡ $\dfrac{7}{10} - \dfrac{3}{10} = \dfrac{☐}{10}$

□ 안에 알맞은 수를 써넣으시오. (05~12)

05 $\dfrac{3}{4} - \dfrac{2}{4} = \dfrac{\square - \square}{4} = \dfrac{\square}{4}$

06 $\dfrac{3}{5} - \dfrac{2}{5} = \dfrac{\square - \square}{5} = \dfrac{\square}{5}$

07 $\dfrac{6}{9} - \dfrac{3}{9} = \dfrac{\square - \square}{9} = \dfrac{\square}{9}$

08 $\dfrac{7}{8} - \dfrac{5}{8} = \dfrac{\square - \square}{8} = \dfrac{\square}{8}$

09 $\dfrac{4}{6} - \dfrac{1}{6} = \dfrac{\square - \square}{6} = \dfrac{\square}{6}$

10 $\dfrac{4}{7} - \dfrac{3}{7} = \dfrac{\square - \square}{7} = \dfrac{\square}{7}$

11 $\dfrac{9}{10} - \dfrac{5}{10} = \dfrac{\square - \square}{10} = \dfrac{\square}{10}$

12 $\dfrac{7}{12} - \dfrac{2}{12} = \dfrac{\square - \square}{12} = \dfrac{\square}{12}$

 계산을 하시오. (13~20)

13 $\dfrac{5}{7} - \dfrac{3}{7}$

14 $\dfrac{4}{8} - \dfrac{2}{8}$

15 $\dfrac{8}{9} - \dfrac{6}{9}$

16 $\dfrac{3}{6} - \dfrac{1}{6}$

17 $\dfrac{7}{11} - \dfrac{5}{11}$

18 $\dfrac{11}{14} - \dfrac{6}{14}$

19 $\dfrac{17}{18} - \dfrac{9}{18}$

20 $\dfrac{15}{17} - \dfrac{11}{17}$

사고력 기르기

 □ 안에 알맞은 수를 써넣으시오. (01~06)

01 $\dfrac{7}{9} - \dfrac{\boxed{}}{9} = \dfrac{5}{9}$

02 $\dfrac{\boxed{}}{10} - \dfrac{3}{10} = \dfrac{5}{10}$

03 $\dfrac{10}{14} - \dfrac{\boxed{}}{14} = \dfrac{3}{14}$

04 $\dfrac{\boxed{}}{15} - \dfrac{11}{15} = \dfrac{2}{15}$

05 $\dfrac{9}{12} - \dfrac{\boxed{}}{12} = \dfrac{4}{12}$

06 $\dfrac{\boxed{}}{18} - \dfrac{8}{18} = \dfrac{7}{18}$

 주어진 5장의 수 카드 중에서 2장을 뽑아 진분수를 만들려고 합니다. 만들 수 있는 가장 큰 진분수와 가장 작은 진분수를 찾아 그 차를 구하시오. (07~09)

07 [1] [3] [5] [7] [9] ⟹ $\dfrac{\boxed{}}{\boxed{}} - \dfrac{\boxed{}}{\boxed{}} = \dfrac{\boxed{}}{\boxed{}}$

08 [2] [4] [6] [8] [10] ⟹ $\dfrac{\boxed{}}{\boxed{}} - \dfrac{\boxed{}}{\boxed{}} = \dfrac{\boxed{}}{\boxed{}}$

09 [7] [5] [4] [6] [8] ⟹ $\dfrac{\boxed{}}{\boxed{}} - \dfrac{\boxed{}}{\boxed{}} = \dfrac{\boxed{}}{\boxed{}}$

진분수의 뺄셈식입니다. ▲가 짝수일 때 조건을 만족하는 뺄셈식을 모두 만들어 보시오.

(10~11)

10

$$\frac{\blacksquare}{10} - \frac{2}{10} = \frac{\triangle}{10}$$

$$\frac{\square}{10} - \frac{2}{10} = \frac{\square}{10} \qquad \frac{\square}{10} - \frac{2}{10} = \frac{\square}{10} \qquad \frac{\square}{10} - \frac{2}{10} = \frac{\square}{10}$$

11

$$\frac{\blacksquare}{12} - \frac{5}{12} = \frac{\triangle}{12}$$

$$\frac{\square}{12} - \frac{5}{12} = \frac{\square}{12} \qquad \frac{\square}{12} - \frac{5}{12} = \frac{\square}{12} \qquad \frac{\square}{12} - \frac{5}{12} = \frac{\square}{12}$$

 진분수의 뺄셈식입니다. ■ > ▲ > ● 일 때 조건을 만족하는 뺄셈식을 모두 만들어 보시오.

(12~13)

12

$$\frac{\blacksquare}{6} - \frac{\triangle}{6} - \frac{\bullet}{6} = \frac{1}{6}$$

$$\frac{\square}{6} - \frac{\square}{6} - \frac{\square}{6} = \frac{1}{6} \qquad\qquad \frac{\square}{6} - \frac{\square}{6} - \frac{\square}{6} = \frac{1}{6}$$

13

$$\frac{\blacksquare}{7} - \frac{\triangle}{7} - \frac{\bullet}{7} = \frac{1}{7}$$

$$\frac{\square}{7} - \frac{\square}{7} - \frac{\square}{7} = \frac{1}{7} \qquad\qquad \frac{\square}{7} - \frac{\square}{7} - \frac{\square}{7} = \frac{1}{7}$$

$$\frac{\square}{7} - \frac{\square}{7} - \frac{\square}{7} = \frac{1}{7} \qquad\qquad \frac{\square}{7} - \frac{\square}{7} - \frac{\square}{7} = \frac{1}{7}$$

사고력 기르기

 진분수의 뺄셈식입니다. $\frac{\blacksquare}{} - \frac{\triangle}{} = \frac{\triangle}{} - \frac{\bullet}{}$ 일 때 조건을 만족하는 뺄셈식을 모두 만들어 보시오. (01~03)

01

$$\frac{\blacksquare}{7} - \frac{\triangle}{7} = \frac{\bullet}{7}$$

$$\frac{\square}{7} - \frac{\square}{7} = \frac{\square}{7} \qquad \frac{\square}{7} - \frac{\square}{7} = \frac{\square}{7}$$

02

$$\frac{\blacksquare}{10} - \frac{\triangle}{10} = \frac{\bullet}{10}$$

$$\frac{\square}{10} - \frac{\square}{10} = \frac{\square}{10} \qquad \frac{\square}{10} - \frac{\square}{10} = \frac{\square}{10} \qquad \frac{\square}{10} - \frac{\square}{10} = \frac{\square}{10}$$

03

$$\frac{\blacksquare}{13} - \frac{\triangle}{13} = \frac{\bullet}{13}$$

$$\frac{\square}{13} - \frac{\square}{13} = \frac{\square}{13} \qquad \frac{\square}{13} - \frac{\square}{13} = \frac{\square}{13}$$

$$\frac{\square}{13} - \frac{\square}{13} = \frac{\square}{13} \qquad \frac{\square}{13} - \frac{\square}{13} = \frac{\square}{13}$$

04 분모가 **15**인 분수가 다음과 같이 놓여 있습니다. 이 분수들 중 **2**개의 분수의 차가 $\frac{10}{15}$인 분수의 뺄셈식은 모두 몇 개를 만들 수 있습니까?

$$\frac{1}{15} , \frac{2}{15} , \frac{3}{15} , \cdots\cdots , \frac{13}{15} , \frac{14}{15}$$

(   )

양쪽 ○ 안의 두 진분수의 뺄셈 결과가 가운데 ○ 안의 진분수와 같아지도록 빈 곳에 알맞은 분수를 써넣으시오. (05~06)

05

$$\frac{1}{8} \quad \frac{2}{8} \quad \frac{3}{8} \quad \frac{4}{8} \quad \frac{5}{8}$$

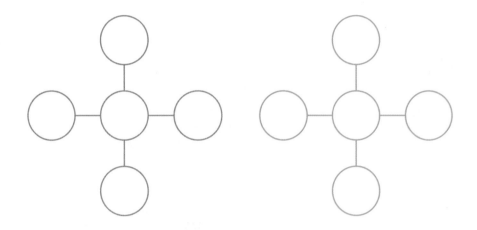

06

$$\frac{2}{15} \quad \frac{4}{15} \quad \frac{6}{15} \quad \frac{8}{15}$$
$$\frac{10}{15} \quad \frac{12}{15} \quad \frac{14}{15}$$

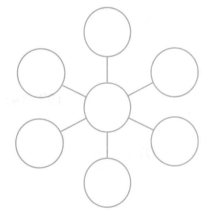

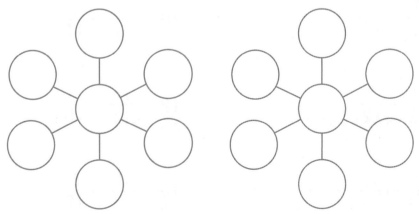

실력 점검

 □ 안에 알맞은 수를 써넣으시오. (01~06)

01 $\dfrac{3}{4}$은 $\dfrac{1}{4}$이 □개, $\dfrac{2}{4}$는 $\dfrac{1}{4}$이 □개

➡ $\dfrac{3}{4} - \dfrac{2}{4}$는 $\dfrac{1}{4}$이 □개 ➡ $\dfrac{3}{4} - \dfrac{2}{4} = \dfrac{□}{4}$

02 $\dfrac{5}{6}$는 $\dfrac{1}{6}$이 □개, $\dfrac{3}{6}$은 $\dfrac{1}{6}$이 □개

➡ $\dfrac{5}{6} - \dfrac{3}{6}$은 $\dfrac{1}{6}$이 □개 ➡ $\dfrac{5}{6} - \dfrac{3}{6} = \dfrac{□}{6}$

03 $\dfrac{7}{9} - \dfrac{2}{9} = \dfrac{□-□}{9} = \dfrac{□}{9}$

04 $\dfrac{9}{10} - \dfrac{3}{10} = \dfrac{□-□}{10} = \dfrac{□}{10}$

05 $\dfrac{11}{13} - \dfrac{7}{13} = \dfrac{□-□}{13} = \dfrac{□}{13}$

06 $\dfrac{8}{15} - \dfrac{4}{15} = \dfrac{□-□}{15} = \dfrac{□}{15}$

 계산을 하시오. (07~14)

07 $\dfrac{5}{8} - \dfrac{2}{8}$

08 $\dfrac{4}{5} - \dfrac{2}{5}$

09 $\dfrac{7}{10} - \dfrac{3}{10}$

10 $\dfrac{8}{11} - \dfrac{5}{11}$

11 $\dfrac{11}{12} - \dfrac{8}{12}$

12 $\dfrac{14}{15} - \dfrac{11}{15}$

13 $\dfrac{10}{13} - \dfrac{4}{13}$

14 $\dfrac{13}{18} - \dfrac{5}{18}$

 주어진 5장의 숫자 카드 중에서 2장을 뽑아 진분수를 만들려고 합니다. 만들 수 있는 가장 큰 진분수와 가장 작은 진분수를 찾아 그 차를 구하시오. (15~16)

15

$$ \boxed{2} \quad \boxed{3} \quad \boxed{4} \quad \boxed{5} \quad \boxed{6} \quad \Rightarrow \quad \frac{\Box}{\Box} - \frac{\Box}{\Box} = \frac{\Box}{\Box} $$

16

$$ \boxed{1} \quad \boxed{5} \quad \boxed{7} \quad \boxed{8} \quad \boxed{9} \quad \Rightarrow \quad \frac{\Box}{\Box} - \frac{\Box}{\Box} = \frac{\Box}{\Box} $$

17 진분수의 뺄셈식입니다. ■ > ▲ > ● 일 때 조건을 만족하는 뺄셈식을 모두 만들어 보시오.

$$ \frac{■}{8} - \frac{▲}{8} - \frac{●}{8} = \frac{1}{8} $$

$$ \frac{\Box}{8} - \frac{\Box}{8} - \frac{\Box}{8} = \frac{1}{8} \qquad \frac{\Box}{8} - \frac{\Box}{8} - \frac{\Box}{8} = \frac{1}{8} $$

$$ \frac{\Box}{8} - \frac{\Box}{8} - \frac{\Box}{8} = \frac{1}{8} \qquad \frac{\Box}{8} - \frac{\Box}{8} - \frac{\Box}{8} = \frac{1}{8} $$

$$ \frac{\Box}{8} - \frac{\Box}{8} - \frac{\Box}{8} = \frac{1}{8} \qquad \frac{\Box}{8} - \frac{\Box}{8} - \frac{\Box}{8} = \frac{1}{8} $$

18 분모가 17인 분수가 다음과 같이 놓여 있습니다. 이 분수들 중 2개의 분수의 차가 $\frac{11}{17}$ 인 분수의 뺄셈식은 모두 몇 개를 만들 수 있습니까?

$$ \frac{1}{17}, \ \frac{2}{17}, \ \frac{3}{17}, \ \cdots\cdots, \ \frac{14}{17}, \ \frac{15}{17}, \ \frac{16}{17} $$

(   )

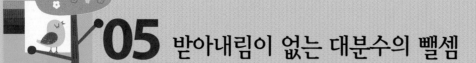

05 받아내림이 없는 대분수의 뺄셈

· $3\frac{5}{6} - 1\frac{2}{6}$ 의 계산

① 자연수는 자연수끼리, 분수는 분수끼리 뺄셈을 합니다.

$$3\frac{5}{6} - 1\frac{2}{6} = (3-1) + \left(\frac{5}{6} - \frac{2}{6}\right) = 2 + \frac{3}{6} = 2\frac{3}{6}$$

② 대분수를 가분수로 고쳐서 계산합니다.

$$3\frac{5}{6} - 1\frac{2}{6} = \frac{23}{6} - \frac{8}{6} = \frac{15}{6} = 2\frac{3}{6}$$

🌸 그림을 보고 ☐ 안에 알맞은 수를 써넣으시오. (01~03)

01

$$3\frac{3}{4} - 1\frac{2}{4} = \left(3-\boxed{}\right) + \left(\frac{3}{4} - \frac{\boxed{}}{4}\right) = \boxed{} + \frac{\boxed{}}{4} = \boxed{}\frac{\boxed{}}{4}$$

02

$$4\frac{4}{6} - 2\frac{3}{6} = \left(4-\boxed{}\right) + \left(\frac{4}{6} - \frac{\boxed{}}{6}\right) = \boxed{} + \frac{\boxed{}}{6} = \boxed{}\frac{\boxed{}}{6}$$

03

$$2\frac{5}{8} - 1\frac{2}{8} = \frac{\boxed{}}{8} - \frac{\boxed{}}{8} = \frac{\boxed{}}{8} = \boxed{}\frac{\boxed{}}{8}$$

□ 안에 알맞은 수를 써넣으시오. (04~05)

04 $5\dfrac{7}{8}-3\dfrac{4}{8}=(5-\boxed{})+\left(\dfrac{7}{8}-\dfrac{\boxed{}}{8}\right)=\boxed{}+\dfrac{\boxed{}}{8}=\boxed{}\dfrac{\boxed{}}{8}$

05 $7\dfrac{5}{6}-4\dfrac{3}{6}=(7-\boxed{})+\left(\dfrac{5}{6}-\dfrac{\boxed{}}{6}\right)=\boxed{}+\dfrac{\boxed{}}{6}=\boxed{}\dfrac{\boxed{}}{6}$

 □ 안에 알맞은 수를 써넣으시오. (06~07)

06 $3\dfrac{4}{7}-1\dfrac{3}{7}=\dfrac{\boxed{}}{7}-\dfrac{\boxed{}}{7}=\dfrac{\boxed{}}{7}=\boxed{}\dfrac{\boxed{}}{7}$

07 $4\dfrac{7}{12}-2\dfrac{4}{12}=\dfrac{\boxed{}}{12}-\dfrac{\boxed{}}{12}=\dfrac{\boxed{}}{12}=\boxed{}\dfrac{\boxed{}}{12}$

 계산을 하시오. (08~15)

08 $6\dfrac{4}{5}-5\dfrac{3}{5}$

09 $7\dfrac{6}{9}-2\dfrac{5}{9}$

10 $5\dfrac{7}{10}-1\dfrac{6}{10}$

11 $3\dfrac{9}{13}-2\dfrac{7}{13}$

12 $4\dfrac{11}{15}-2\dfrac{8}{15}$

13 $6\dfrac{8}{11}-5\dfrac{6}{11}$

14 $5\dfrac{11}{14}-3\dfrac{8}{14}$

15 $4\dfrac{16}{18}-3\dfrac{12}{18}$

사고력 기르기

□ 안에 알맞은 수를 써넣으시오. (01~10)

01 $\square\dfrac{\square}{7} - 2\dfrac{2}{7} = 1\dfrac{3}{7}$

02 $6\dfrac{3}{4} - \square\dfrac{\square}{4} = 2\dfrac{1}{4}$

03 $\square\dfrac{\square}{8} - 3\dfrac{4}{8} = 2\dfrac{2}{8}$

04 $7\dfrac{7}{9} - \square\dfrac{\square}{9} = 1\dfrac{1}{9}$

05 $\square\dfrac{\square}{5} - 4\dfrac{3}{5} = 4\dfrac{1}{5}$

06 $9\dfrac{4}{6} - \square\dfrac{\square}{6} = 6\dfrac{2}{6}$

07 $\square\dfrac{\square}{10} - 2\dfrac{4}{10} = 4\dfrac{3}{10}$

08 $5\dfrac{10}{12} - \square\dfrac{\square}{12} = 3\dfrac{3}{12}$

09 $\square\dfrac{\square}{14} - 3\dfrac{7}{14} = 6\dfrac{5}{14}$

10 $8\dfrac{15}{18} - \square\dfrac{\square}{18} = 4\dfrac{7}{18}$

대분수로만 만들어진 뺄셈식에서  가 가장 클 때의 값을 구하시오. (11~14)

11 $5\dfrac{■}{5} - 3\dfrac{▲}{5} = 2\dfrac{1}{5}$

(　　　　　　　　　)

12 $6\dfrac{■}{7} - 4\dfrac{▲}{7} = 2\dfrac{1}{7}$

(　　　　　　　　　)

13 $9\dfrac{■}{10} - 4\dfrac{▲}{10} = 5\dfrac{3}{10}$

(　　　　　　　　　)

14 $7\dfrac{■}{12} - 3\dfrac{▲}{12} = 4\dfrac{5}{12}$

(　　　　　　　　　)

☐ 안에 들어갈 수 있는 가장 큰 수는 얼마인지 구하시오. (15~20)

15

$$3\frac{4}{5} - 2\frac{1}{5} > \frac{\square}{5}$$

(   )

16

$$4\frac{7}{8} - 1\frac{3}{8} > \frac{\square}{8}$$

(   )

17

$$5\frac{6}{7} - 3\frac{2}{7} > \frac{\square}{7}$$

(   )

18

$$3\frac{7}{10} - 1\frac{5}{10} > \frac{\square}{10}$$

(   )

19

$$5\frac{8}{12} - 3\frac{7}{12} > \frac{\square}{12}$$

(   )

20

$$4\frac{11}{15} - 2\frac{9}{15} > \frac{\square}{15}$$

(   )

 ☐ 안에 들어갈 수 있는 가장 작은 수는 얼마인지 구하시오. (21~26)

21

$$3\frac{7}{8} - 1\frac{4}{8} < \frac{\square}{8}$$

(   )

22

$$4\frac{3}{5} - 1\frac{2}{5} < \frac{\square}{5}$$

(   )

23

$$5\frac{4}{6} - 3\frac{3}{6} < \frac{\square}{6}$$

(   )

24

$$4\frac{6}{9} - 2\frac{4}{9} < \frac{\square}{9}$$

(   )

25

$$3\frac{9}{13} - 1\frac{7}{13} < \frac{\square}{13}$$

(   )

26

$$5\frac{11}{18} - 3\frac{8}{18} < \frac{\square}{18}$$

(   )

 대분수의 뺄셈식입니다. ■－▲＝▲－●일 때 조건을 만족하는 뺄셈식을 모두 만들어 보시오. (01~03)

01

$$2\frac{■}{7} - 1\frac{▲}{7} = 1\frac{●}{7}$$

$$2\frac{\square}{7} - 1\frac{\square}{7} = 1\frac{\square}{7} \qquad 2\frac{\square}{7} - 1\frac{\square}{7} = 1\frac{\square}{7}$$

02

$$4\frac{■}{10} - 2\frac{▲}{10} = 2\frac{●}{10}$$

$$4\frac{\square}{10} - 2\frac{\square}{10} = 2\frac{\square}{10} \qquad 4\frac{\square}{10} - 2\frac{\square}{10} = 2\frac{\square}{10}$$

$$4\frac{\square}{10} - 2\frac{\square}{10} = 2\frac{\square}{10}$$

03

$$7\frac{■}{13} - 4\frac{▲}{13} = 3\frac{●}{13}$$

$$7\frac{\square}{13} - 4\frac{\square}{13} = 3\frac{\square}{13} \qquad 7\frac{\square}{13} - 4\frac{\square}{13} = 3\frac{\square}{13}$$

$$7\frac{\square}{13} - 4\frac{\square}{13} = 3\frac{\square}{13} \qquad 7\frac{\square}{13} - 4\frac{\square}{13} = 3\frac{\square}{13}$$

대분수의 뺄셈식입니다. ■ > ▲ > ●일 때 조건을 만족하는 뺄셈식을 모두 만들어 보시오.

(04~06)

04

$$5\frac{■}{6} - 2\frac{▲}{6} - 1\frac{●}{6} = 2\frac{1}{6}$$

$$5\frac{\square}{6} - 2\frac{\square}{6} - 1\frac{\square}{6} = 2\frac{1}{6} \qquad 5\frac{\square}{6} - 2\frac{\square}{6} - 1\frac{\square}{6} = 2\frac{1}{6}$$

05

$$7\frac{■}{9} - 2\frac{▲}{9} - 3\frac{●}{9} = 2\frac{3}{9}$$

$$7\frac{\square}{9} - 2\frac{\square}{9} - 3\frac{\square}{9} = 2\frac{3}{9} \qquad 7\frac{\square}{9} - 2\frac{\square}{9} - 3\frac{\square}{9} = 2\frac{3}{9}$$

$$7\frac{\square}{9} - 2\frac{\square}{9} - 3\frac{\square}{9} = 2\frac{3}{9} \qquad 7\frac{\square}{9} - 2\frac{\square}{9} - 3\frac{\square}{9} = 2\frac{3}{9}$$

06

$$9\frac{■}{10} - 3\frac{▲}{10} - 1\frac{●}{10} = 5\frac{4}{10}$$

$$9\frac{\square}{10} - 3\frac{\square}{10} - 1\frac{\square}{10} = 5\frac{4}{10} \qquad 9\frac{\square}{10} - 3\frac{\square}{10} - 1\frac{\square}{10} = 5\frac{4}{10}$$

$$9\frac{\square}{10} - 3\frac{\square}{10} - 1\frac{\square}{10} = 5\frac{4}{10} \qquad 9\frac{\square}{10} - 3\frac{\square}{10} - 1\frac{\square}{10} = 5\frac{4}{10}$$

 □ 안에 알맞은 수를 써넣으시오. (01~02)

01　$6\dfrac{7}{9} - 2\dfrac{4}{9} = (6 - \square) + \left(\dfrac{7}{9} - \dfrac{\square}{9}\right) = \square + \dfrac{\square}{9} = \square\dfrac{\square}{9}$

02　$5\dfrac{5}{8} - 3\dfrac{3}{8} = (5 - \square) + \left(\dfrac{5}{8} - \dfrac{\square}{8}\right) = \square + \dfrac{\square}{8} = \square\dfrac{\square}{8}$

 □ 안에 알맞은 수를 써넣으시오. (03~04)

03　$3\dfrac{3}{7} - 2\dfrac{1}{7} = \dfrac{\square}{7} - \dfrac{\square}{7} = \dfrac{\square}{7} = \square\dfrac{\square}{7}$

04　$2\dfrac{8}{13} - 1\dfrac{7}{13} = \dfrac{\square}{13} - \dfrac{\square}{13} = \dfrac{\square}{13} = \square\dfrac{\square}{13}$

 계산을 하시오. (05~12)

05　$6\dfrac{3}{4} - 2\dfrac{1}{4}$

06　$7\dfrac{6}{8} - 5\dfrac{3}{8}$

07　$4\dfrac{8}{9} - 1\dfrac{4}{9}$

08　$6\dfrac{7}{10} - 5\dfrac{5}{10}$

09　$5\dfrac{9}{11} - 2\dfrac{6}{11}$

10　$5\dfrac{11}{13} - 3\dfrac{9}{13}$

11　$7\dfrac{13}{14} - 5\dfrac{8}{14}$

12　$6\dfrac{13}{15} - 1\dfrac{7}{15}$

 대분수로만 만들어진 뺄셈식에서 ■+▲가 가장 클 때의 값을 구하시오. (13~14)

13

$$7\frac{\blacksquare}{6}-2\frac{\blacktriangle}{6}=5\frac{1}{6}$$

(   )

14

$$6\frac{\blacksquare}{9}-3\frac{\blacktriangle}{9}=3\frac{2}{9}$$

(   )

 □ 안에 들어갈 수 있는 가장 작은 수는 얼마인지 구하시오. (15~16)

15

$$3\frac{7}{9}-1\frac{3}{9}<\frac{\square}{9}$$

(   )

16

$$4\frac{8}{12}-2\frac{5}{12}<\frac{\square}{12}$$

(   )

17 대분수의 뺄셈식입니다. ■>▲>●일 때 조건을 만족하는 뺄셈식을 모두 만들어 보시오.

$$8\frac{\blacksquare}{12}-3\frac{\blacktriangle}{12}-2\frac{\bullet}{12}=3\frac{5}{12}$$

$$8\frac{\square}{12}-3\frac{\square}{12}-2\frac{\square}{12}=3\frac{5}{12} \qquad 8\frac{\square}{12}-3\frac{\square}{12}-2\frac{\square}{12}=3\frac{5}{12}$$

$$8\frac{\square}{12}-3\frac{\square}{12}-2\frac{\square}{12}=3\frac{5}{12} \qquad 8\frac{\square}{12}-3\frac{\square}{12}-2\frac{\square}{12}=3\frac{5}{12}$$

$$8\frac{\square}{12}-3\frac{\square}{12}-2\frac{\square}{12}=3\frac{5}{12} \qquad 8\frac{\square}{12}-3\frac{\square}{12}-2\frac{\square}{12}=3\frac{5}{12}$$

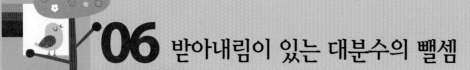

06 받아내림이 있는 대분수의 뺄셈

개념

- $3\dfrac{1}{4} - 1\dfrac{3}{4}$ 의 계산

① 자연수는 자연수끼리, 분수는 분수끼리 뺄셈을 합니다. 이때 분수끼리 뺄 수 없을 때에는 받아내림을 하여 계산합니다.

$$3\dfrac{1}{4} - 1\dfrac{3}{4} = 2\dfrac{5}{4} - 1\dfrac{3}{4} = (2-1) + \left(\dfrac{5}{4} - \dfrac{3}{4}\right) = 1 + \dfrac{2}{4} = 1\dfrac{2}{4}$$

② 대분수를 가분수로 고쳐서 계산합니다.

$$3\dfrac{1}{4} - 1\dfrac{3}{4} = \dfrac{13}{4} - \dfrac{7}{4} = \dfrac{6}{4} = 1\dfrac{2}{4}$$

🌸 그림을 보고 □ 안에 알맞은 수를 써넣으시오. (01~03)

01

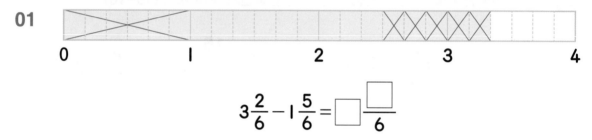

$$3\dfrac{2}{6} - 1\dfrac{5}{6} = \boxed{}\dfrac{\boxed{}}{6}$$

02

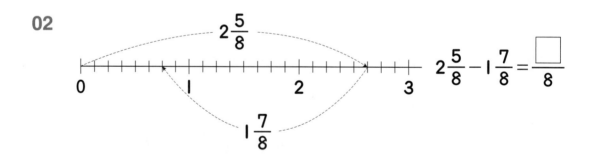

$$2\dfrac{5}{8} - 1\dfrac{7}{8} = \dfrac{\boxed{}}{8}$$

03

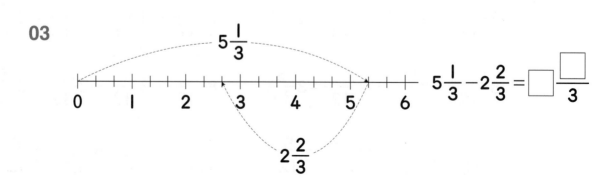

$$5\dfrac{1}{3} - 2\dfrac{2}{3} = \boxed{}\dfrac{\boxed{}}{3}$$

□ 안에 알맞은 수를 써넣으시오. (04~05)

04 $3\dfrac{2}{5} - 1\dfrac{3}{5} = 2\dfrac{\boxed{}}{5} - 1\dfrac{3}{5} = (2 - \boxed{}) + \left(\dfrac{\boxed{}}{5} - \dfrac{3}{5}\right) = \boxed{}\dfrac{\boxed{}}{5}$

05 $6\dfrac{4}{9} - 3\dfrac{7}{9} = 5\dfrac{\boxed{}}{9} - 3\dfrac{7}{9} = (5 - \boxed{}) + \left(\dfrac{\boxed{}}{9} - \dfrac{7}{9}\right) = \boxed{}\dfrac{\boxed{}}{9}$

 □ 안에 알맞은 수를 써넣으시오. (06~07)

06 $4\dfrac{3}{8} - 1\dfrac{5}{8} = \dfrac{\boxed{}}{8} - \dfrac{\boxed{}}{8} = \dfrac{\boxed{}}{8} = \boxed{}\dfrac{\boxed{}}{8}$

07 $5\dfrac{7}{10} - 2\dfrac{9}{10} = \dfrac{\boxed{}}{10} - \dfrac{\boxed{}}{10} = \dfrac{\boxed{}}{10} = \boxed{}\dfrac{\boxed{}}{10}$

 계산을 하시오. (08~15)

08 $4\dfrac{6}{9} - 3\dfrac{8}{9}$

09 $5\dfrac{1}{3} - 1\dfrac{2}{3}$

10 $6\dfrac{2}{7} - 2\dfrac{5}{7}$

11 $9\dfrac{2}{6} - 5\dfrac{4}{6}$

12 $5\dfrac{4}{11} - 2\dfrac{9}{11}$

13 $8\dfrac{7}{14} - 4\dfrac{10}{14}$

14 $6\dfrac{5}{18} - 4\dfrac{10}{18}$

15 $9\dfrac{8}{16} - 4\dfrac{9}{16}$

 □ 안에 알맞은 수를 써넣으시오. (01~08)

01 $\boxed{}\dfrac{3}{7} - 2\dfrac{\boxed{}}{7} = 2\dfrac{4}{7}$

02 $6\dfrac{1}{4} - \boxed{}\dfrac{\boxed{}}{4} = 2\dfrac{3}{4}$

03 $\boxed{}\dfrac{4}{8} - 5\dfrac{\boxed{}}{8} = 3\dfrac{7}{8}$

04 $7\dfrac{1}{9} - \boxed{}\dfrac{\boxed{}}{9} = 4\dfrac{3}{9}$

05 $\boxed{}\dfrac{\boxed{}}{5} - 1\dfrac{4}{5} = 4\dfrac{3}{5}$

06 $8\dfrac{\boxed{}}{6} - \boxed{}\dfrac{5}{6} = 1\dfrac{5}{6}$

07 $\boxed{}\dfrac{\boxed{}}{10} - 3\dfrac{8}{10} = 4\dfrac{7}{10}$

08 $9\dfrac{\boxed{}}{12} - \boxed{}\dfrac{11}{12} = 3\dfrac{10}{12}$

 ■는 모두 같은 자연수를 나타낼 때, ■를 구하시오. (09~11)

09 $3\dfrac{3}{■} - 1\dfrac{5}{■} = 1\dfrac{5}{■}$ ➡ ■ = $\boxed{}$

10 $6\dfrac{4}{■} - 2\dfrac{7}{■} = 3\dfrac{5}{■}$ ➡ ■ = $\boxed{}$

11 $7\dfrac{7}{■} - 5\dfrac{9}{■} = 1\dfrac{8}{■}$ ➡ ■ = $\boxed{}$

Step 1

 대분수의 뺄셈식입니다. 조건을 만족하는 뺄셈식을 모두 만들어 보시오. (12~13)

12

$$9\frac{\square}{9} - 5\frac{\triangle}{9} = 3\frac{3}{9}$$

$$9\frac{\square}{9} - 5\frac{\square}{9} = 3\frac{3}{9}$$ $$9\frac{\square}{9} - 5\frac{\square}{9} = 3\frac{3}{9}$$

13

$$7\frac{\square}{11} - 4\frac{\triangle}{11} = 2\frac{4}{11}$$

$$7\frac{\square}{11} - 4\frac{\square}{11} = 2\frac{4}{11}$$ $$7\frac{\square}{11} - 4\frac{\square}{11} = 2\frac{4}{11}$$

$$7\frac{\square}{11} - 4\frac{\square}{11} = 2\frac{4}{11}$$

다음 뺄셈식에서 ■ + ▲ 가 가장 클 때의 값을 구하시오. (14~17)

14

$$4\frac{\square}{7} - 1\frac{\triangle}{7} = 2\frac{3}{7}$$

(   )

15

$$5\frac{\square}{9} - 3\frac{\triangle}{9} = 1\frac{5}{9}$$

(   )

16

$$7\frac{\square}{10} - 2\frac{\triangle}{10} = 4\frac{7}{10}$$

(   )

17

$$8\frac{\square}{15} - 3\frac{\triangle}{15} = 4\frac{10}{15}$$

(   )

사고력 기르기

Step 2

 기호 ★ 을 보기 와 같이 약속할 때 다음을 계산하시오. (01~06)

> **보기**
>
> $$㉮ ★ ㉯ = \dfrac{㉮ × ㉯}{㉮ − ㉯} - \dfrac{㉮ + ㉯}{㉮ − ㉯}$$

01 7 ★ 3

02 9 ★ 4

03 9 ★ 5

04 10 ★ 3

05 10 ★ 7

06 11 ★ 7

 대분수의 뺄셈식입니다. ■ < ▲ < ● 일 때 조건을 만족하는 뺄셈식을 모두 만들어 보시오. (07~08)

07

$$3\dfrac{■}{5} - 1\dfrac{▲}{5} = 1\dfrac{●}{5}$$

$$3\dfrac{\square}{5} - 1\dfrac{\square}{5} = 1\dfrac{\square}{5} \qquad 3\dfrac{\square}{5} - 1\dfrac{\square}{5} = 1\dfrac{\square}{5}$$

08

$$6\dfrac{■}{6} - 2\dfrac{▲}{6} = 3\dfrac{●}{6}$$

$$6\dfrac{\square}{6} - 2\dfrac{\square}{6} = 3\dfrac{\square}{6} \qquad 6\dfrac{\square}{6} - 2\dfrac{\square}{6} = 3\dfrac{\square}{6}$$

$$6\dfrac{\square}{6} - 2\dfrac{\square}{6} = 3\dfrac{\square}{6} \qquad 6\dfrac{\square}{6} - 2\dfrac{\square}{6} = 3\dfrac{\square}{6}$$

대분수의 뺄셈식입니다. ■ < ▲ 일 때 조건을 만족하는 뺄셈식을 모두 만들어 보시오.

(09~12)

09

$$6\frac{■}{7}-2\frac{▲}{7}-1\frac{▲}{7}=2\frac{2}{7}$$

$$6\frac{\square}{7}-2\frac{\square}{7}-1\frac{\square}{7}=2\frac{2}{7} \qquad 6\frac{\square}{7}-2\frac{\square}{7}-1\frac{\square}{7}=2\frac{2}{7}$$

10

$$8\frac{■}{9}-2\frac{▲}{9}-3\frac{▲}{9}=2\frac{3}{9}$$

$$8\frac{\square}{9}-2\frac{\square}{9}-3\frac{\square}{9}=2\frac{3}{9} \qquad 8\frac{\square}{9}-2\frac{\square}{9}-3\frac{\square}{9}=2\frac{3}{9}$$

11

$$7\frac{■}{10}-3\frac{▲}{10}-2\frac{▲}{10}=1\frac{5}{10}$$

$$7\frac{\square}{10}-3\frac{\square}{10}-2\frac{\square}{10}=1\frac{5}{10} \qquad 7\frac{\square}{10}-3\frac{\square}{10}-2\frac{\square}{10}=1\frac{5}{10}$$

12

$$9\frac{■}{12}-4\frac{▲}{12}-3\frac{▲}{12}=1\frac{2}{12}$$

$$9\frac{\square}{12}-4\frac{\square}{12}-3\frac{\square}{12}=1\frac{2}{12} \qquad 9\frac{\square}{12}-4\frac{\square}{12}-3\frac{\square}{12}=1\frac{2}{12}$$

$$9\frac{\square}{12}-4\frac{\square}{12}-3\frac{\square}{12}=1\frac{2}{12} \qquad 9\frac{\square}{12}-4\frac{\square}{12}-3\frac{\square}{12}=1\frac{2}{12}$$

 □ 안에 알맞은 수를 써넣으시오. (01~02)

01 $4\dfrac{2}{6} - 2\dfrac{4}{6} = 3\dfrac{\boxed{}}{6} - 2\dfrac{4}{6} = (3 - \boxed{}) + \left(\dfrac{\boxed{}}{6} - \dfrac{4}{6}\right) = \boxed{}\dfrac{\boxed{}}{6}$

02 $3\dfrac{3}{8} - 1\dfrac{7}{8} = 2\dfrac{\boxed{}}{8} - 1\dfrac{7}{8} = (2 - \boxed{}) + \left(\dfrac{\boxed{}}{8} - \dfrac{7}{8}\right) = \boxed{}\dfrac{\boxed{}}{8}$

 □ 안에 알맞은 수를 써넣으시오. (03~04)

03 $4\dfrac{2}{5} - 2\dfrac{3}{5} = \dfrac{\boxed{}}{5} - \dfrac{\boxed{}}{5} = \dfrac{\boxed{}}{5} = \boxed{}\dfrac{\boxed{}}{5}$

04 $6\dfrac{1}{3} - 3\dfrac{2}{3} = \dfrac{\boxed{}}{3} - \dfrac{\boxed{}}{3} = \dfrac{\boxed{}}{3} = \boxed{}\dfrac{\boxed{}}{3}$

 계산을 하시오. (05~12)

05 $4\dfrac{1}{7} - 2\dfrac{4}{7}$

06 $8\dfrac{2}{4} - 6\dfrac{3}{4}$

07 $6\dfrac{4}{9} - 5\dfrac{8}{9}$

08 $5\dfrac{2}{5} - 1\dfrac{3}{5}$

09 $3\dfrac{6}{10} - 1\dfrac{9}{10}$

10 $4\dfrac{7}{11} - 2\dfrac{9}{11}$

11 $5\dfrac{8}{12} - 3\dfrac{11}{12}$

12 $6\dfrac{11}{15} - 2\dfrac{14}{15}$

 ■는 모두 같은 자연수를 나타낼 때, ■를 구하시오. (13~14)

13

$$4\frac{2}{■} - 2\frac{6}{■} = 1\frac{3}{■}$$

➡ ■ = ☐

14

$$5\frac{4}{■} - 1\frac{9}{■} = 3\frac{6}{■}$$

➡ ■ = ☐

 다음 뺄셈식에서 ■+▲가 가장 클 때의 값을 구하시오. (15~16)

15

$$6\frac{■}{8} - 3\frac{▲}{8} = 2\frac{4}{8}$$

( )

16

$$9\frac{■}{13} - 5\frac{▲}{13} = 3\frac{7}{13}$$

( )

17 대분수의 뺄셈식입니다. ■<▲일 때 조건을 만족하는 뺄셈식을 모두 만들어 보시오.

$$8\frac{■}{15} - 2\frac{▲}{15} - 3\frac{▲}{15} = 2\frac{3}{15}$$

$$8\frac{\square}{15} - 2\frac{\square}{15} - 3\frac{\square}{15} = 2\frac{3}{15} \qquad 8\frac{\square}{15} - 2\frac{\square}{15} - 3\frac{\square}{15} = 2\frac{3}{15}$$

$$8\frac{\square}{15} - 2\frac{\square}{15} - 3\frac{\square}{15} = 2\frac{3}{15} \qquad 8\frac{\square}{15} - 2\frac{\square}{15} - 3\frac{\square}{15} = 2\frac{3}{15}$$

$$8\frac{\square}{15} - 2\frac{\square}{15} - 3\frac{\square}{15} = 2\frac{3}{15}$$

개념

1. 1보다 작은 소수 두 자리 수

- 분수 $\dfrac{1}{100}$은 0.01이라 쓰고 영 점 영일이라고 읽습니다.

- 분수 $\dfrac{79}{100}$는 소수로 0.79라 쓰고 영 점 칠구라고 읽습니다.

2. 1보다 큰 소수 두 자리 수

3.57은 삼 점 오칠이라고 읽습니다.

3.57에서 3은 일의 자리 숫자이고 3을 나타냅니다.

5는 소수 첫째 자리 숫자이고 0.5를 나타냅니다.

7은 소수 둘째 자리 숫자이고 0.07을 나타냅니다.

일의 자리		소수 첫째 자리	소수 둘째 자리
3	.		
0	.	5	
0	.	0	7

---

01 소수를 읽어 보시오.

(1) 0.86 ➡ (   )   (2) 0.94 ➡ (   )

(3) 1.57 ➡ (   )   (4) 4.36 ➡ (   )

02 소수로 나타내어 보시오.

(1) 영 점 오팔 ➡ (   )   (2) 영 점 이칠 ➡ (   )

(3) 구 점 영구 ➡ (   )   (4) 육 점 사이 ➡ (   )

03 8.47을 보고 ☐ 안에 알맞은 수를 써넣으시오.

(1) 8은 일의 자리 숫자이고 ☐을 나타냅니다.

(2) 4는 소수 첫째 자리 숫자이고 ☐를 나타냅니다.

(3) 7은 소수 둘째 자리 숫자이고 ☐을 나타냅니다.

□ 안에 알맞은 수를 써넣으시오. (04~11)

04 0.65는 0.01이 ☐ 개인 수입니다.

05 0.92는 0.01이 ☐ 개인 수입니다.

06 1.86은 0.01이 ☐ 개인 수입니다.

07 2.08은 0.01이 ☐ 개인 수입니다.

08 0.01이 42개인 수는 ☐ 입니다.

09 0.01이 87개인 수는 ☐ 입니다.

10 0.01이 162개인 수는 ☐ 입니다.

11 0.01이 486개인 수는 ☐ 입니다.

 □ 안에 알맞은 수를 써넣으시오. (12~15)

12 1이 8개 ┐
    0.1이 3개 ├ 이면 ☐
    0.01이 6개 ┘

13 1이 6개 ┐
    0.1이 7개 ├ 이면 ☐
    0.01이 4개 ┘

14 ☐ 는 ┌ 1이 9개
        ├ 0.1이 1개
        └ 0.01이 5개

15 ☐ 은 ┌ 1이 7개
        ├ 0.1이 9개
        └ 0.01이 8개

1 사고력 기르기

 보기 를 참고하여 ☐ 안에 알맞은 수를 써넣으시오. (01~04)

> 보기
>
> 1이 **7**개, 0.1이 **16**개, 0.01이 **5**개인 수
> ➡ 7+1.6+0.05=8.65

01

1이 **6**개, 0.1이 **24**개, 0.01이 **7**개인 수

➡ ☐ + ☐ + ☐ = ☐

02

1이 **8**개, 0.1이 **6**개, 0.01이 **34**개인 수

➡ ☐ + ☐ + ☐ = ☐

03

1이 **7**개, 0.1이 **24**개, 0.01이 **18**개인 수

➡ ☐ + ☐ + ☐ = ☐

04

1이 **14**개, 0.1이 **25**개, 0.01이 **12**개인 수

➡ ☐ + ☐ + ☐ = ☐

주어진 세 수에서 밑줄 그은 숫자가 나타내는 값의 합을 구하시오. (05~11)

05 | 4.<u>7</u>6   2.8<u>4</u>   1.9<u>7</u> | (   )

06 | 6.<u>2</u>9   <u>5</u>.47   1.0<u>8</u> | (   )

07 | 1.<u>9</u>7   6.5<u>4</u>   <u>5</u>.86 | (   )

08 | 2.0<u>8</u>   4.<u>9</u>7   6.<u>1</u>7 | (   )

09 | 4.9<u>6</u>   4.<u>7</u>8   <u>2</u>.96 | (   )

10 | 8.<u>9</u>7   <u>5</u>.82   6.1<u>4</u> | (   )

11 | <u>0</u>.97   2.6<u>4</u>   8.<u>9</u>3 | (   )

 화살표가 다음과 같은 규칙을 가지고 있습니다. 규칙에 맞게 빈칸에 알맞은 수를 써넣으시오.

(01~04)

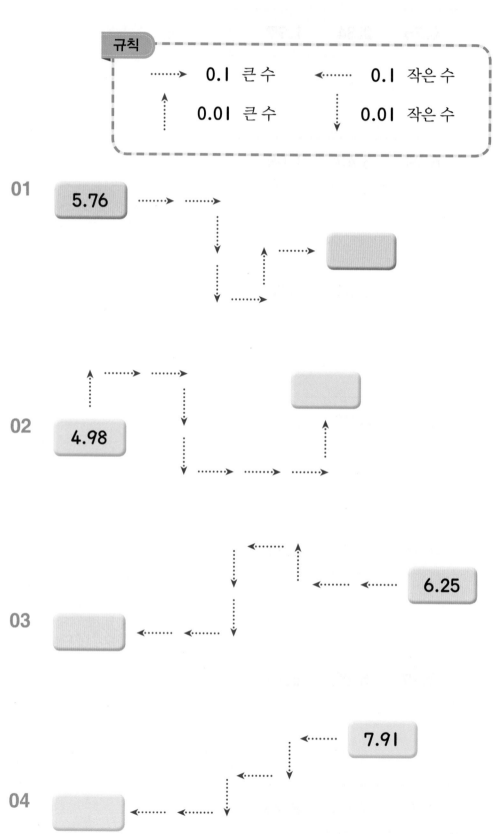

규칙

······▶ 0.1 큰 수   ◀······ 0.1 작은 수

↑ 0.01 큰 수   ↓ 0.01 작은 수

01   5.76

02   4.98

03   6.25

04   7.91

□ 안에 알맞은 수를 써넣으시오. (05~09)

05

1이   1개 ⎤
0.1이 [ ]6개 ⎬ 인 수는 2.[ ]3입니다.
0.01이 1[ ]개 ⎦

06

1이   6개 ⎤
0.1이 [ ]4개 ⎬ 인 수는 7.[ ]5입니다.
0.01이 1[ ]개 ⎦

07

1이   8개 ⎤
0.1이 [ ]5개 ⎬ 인 수는 10.[ ]7입니다.
0.01이 3[ ]개 ⎦

08

             1이 [ ]개 ⎤
3.9[ ]은 ⎨ 0.1이 17개 ⎬ 인 수입니다.
           0.01이 [ ]3개 ⎦

09

             1이 [ ]개 ⎤
7.9[ ]은 ⎨ 0.1이 36개 ⎬ 인 수입니다.
           0.01이 [ ]8개 ⎦

실력 점검

 소수를 읽어 보시오. (01~04)

01 0.17 ➡ (   )

02 0.93 ➡ (   )

03 1.04 ➡ (   )

04 5.69 ➡ (   )

 소수로 나타내어 보시오. (05~08)

05 영 점 영사 ➡ (   )

06 영 점 오칠 ➡ (   )

07 이 점 구육 ➡ (   )

08 육 점 영팔 ➡ (   )

 ☐ 안에 알맞은 수를 써넣으시오. (09~16)

09 0.69는 0.01이 ☐ 개인 수입니다.

10 6.18은 0.01이 ☐ 개인 수입니다.

11 0.01이 48개인 수는 ☐ 입니다.

12 0.01이 562개인 수는 ☐ 입니다.

13
1이 9개 ┐
0.1이 3개 ┤ 이면 ☐
0.01이 6개 ┘

14
1이 4개 ┐
0.1이 6개 ┤ 이면 ☐
0.01이 9개 ┘

15
☐ 은 ┌ 1이 8개
├ 0.1이 0개
└ 0.01이 7개

16
☐ 는 ┌ 1이 5개
├ 0.1이 4개
└ 0.01이 2개

 주어진 세 수에서 밑줄 그은 숫자가 나타내는 값의 합을 구하시오. (17~18)

17

| 5.8̲7 | 6.5̲4 | 7.0̲9 | (   ) |

18

| 4̲.07 | 5.8̲3 | 6.1̲4 | (   ) |

 화살표가 다음과 같은 규칙을 가지고 있습니다. 규칙에 맞게 빈칸에 알맞은 수를 써넣으시오.

(19~20)

규칙

········▶ 0.1 큰 수   ◀········ 0.1 작은 수   0.01 큰 수   0.01 작은 수

19

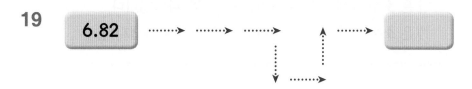

20

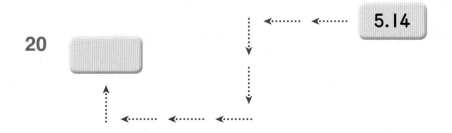

21 ☐ 안에 알맞은 수를 써넣으시오.

$$4.9\boxed{} \text{는} \begin{cases} 1\text{이} \boxed{}\text{개} \\ 0.1\text{이} \boxed{18}\text{개} \\ 0.01\text{이} \boxed{}2\text{개} \end{cases} \text{인 수입니다.}$$

개념

1. 1보다 작은 소수 세 자리 수

· 분수 $\dfrac{1}{1000}$ 은 0.001이라 쓰고 영 점 영영일이라고 읽습니다.

· 분수 $\dfrac{259}{1000}$ 는 소수로 0.259라 쓰고 영 점 이오구라고 읽습니다.

2. 1보다 큰 소수 세 자리 수

4.817은 사 점 팔일칠이라고 읽습니다.

일의 자리		소수 첫째 자리	소수 둘째 자리	소수 셋째 자리
4	.			
0	.	8		
0	.	0	1	
0	.	0	0	7

4.817에서 4는 일의 자리 숫자이고 4를 나타냅니다.

8은 소수 첫째 자리 숫자이고 0.8을 나타냅니다.

1은 소수 둘째 자리 숫자이고 0.01을 나타냅니다.

7은 소수 셋째 자리 숫자이고 0.007을 나타냅니다.

---

01 소수를 읽어 보거나 소수로 나타내어 보시오.

(1) 0.135 ➡ (   )　　(2) 영 점 오칠구 ➡ (   )

(3) 2.468 ➡ (   )　　(4) 사 점 영칠육 ➡ (   )

02 5.962를 보고 ☐ 안에 알맞은 수를 써넣으시오.

(1) 5는 일의 자리 숫자이고 ☐ 를 나타냅니다.

(2) 9는 소수 첫째 자리 숫자이고 ☐ 를 나타냅니다.

(3) 6은 소수 둘째 자리 숫자이고 ☐ 을 나타냅니다.

(4) 2는 소수 셋째 자리 숫자이고 ☐ 를 나타냅니다.

□ 안에 알맞은 수를 써넣으시오. (03~10)

03 0.197은 0.001이 ☐ 개인 수입니다.

04 0.654는 0.001이 ☐ 개인 수입니다.

05 1.078은 0.001이 ☐ 개인 수입니다.

06 2.964는 0.001이 ☐ 개인 수입니다.

07 0.001이 98개인 수는 ☐ 입니다.

08 0.001이 476개인 수는 ☐ 입니다.

09 0.001이 1024개인 수는 ☐ 입니다.

10 0.001이 6987개인 수는 ☐ 입니다.

 □ 안에 알맞은 수를 써넣으시오. (11~14)

11
1이 4개
0.1이 3개
0.01이 2개   이면 ☐
0.001이 6개

12
1이 9개
0.1이 7개
0.01이 0개   이면 ☐
0.001이 3개

13
☐ 는
1이 1개
0.1이 9개
0.01이 6개
0.001이 4개

14
☐ 은
1이 2개
0.1이 0개
0.01이 5개
0.001이 8개

사고력 기르기

 보기 를 참고하여 ☐ 안에 알맞은 수를 써넣으시오. (01~04)

보기

1이 4개, 0.1이 6개, 0.01이 27개, 0.001이 5개인 수
➡ 4+0.6+0.27+0.005=4.875

01

1이 7개, 0.1이 25개, 0.01이 8개, 0.001이 6개인 수

➡ ☐ + ☐ + ☐ + ☐ = ☐

02

1이 6개, 0.1이 8개, 0.01이 7개, 0.001이 29개인 수

➡ ☐ + ☐ + ☐ + ☐ = ☐

03

1이 7개, 0.1이 12개, 0.01이 31개, 0.001이 5개인 수

➡ ☐ + ☐ + ☐ + ☐ = ☐

04

1이 8개, 0.1이 3개, 0.01이 15개, 0.001이 24개인 수

➡ ☐ + ☐ + ☐ + ☐ = ☐

주어진 네 수에서 밑줄 그은 숫자가 나타내는 값의 합을 구하시오. (05~11)

05

| 2.457 3.642 5.872 6.029 | (   ) |

06

| 1.987 2.643 5.087 4.103 | (   ) |

07

| 4.123 5.678 7.296 4.871 | (   ) |

08

| 1.928 2.084 6.702 4.987 | (   ) |

09

| 4.248 6.729 1.874 2.983 | (   ) |

10

| 6.257 1.238 5.492 9.654 | (   ) |

11

| 4.887 6.213 3.647 1.258 | (   ) |

사고력 기르기

 화살표가 다음과 같은 규칙을 가지고 있습니다. 규칙에 맞게 빈칸에 알맞은 수를 써넣으시오.

(01~04)

규칙

┈┈→ 1 큰 수   ←┈┈ 0.1 작은 수

↑ 0.01 큰 수   ↓ 0.001 작은 수

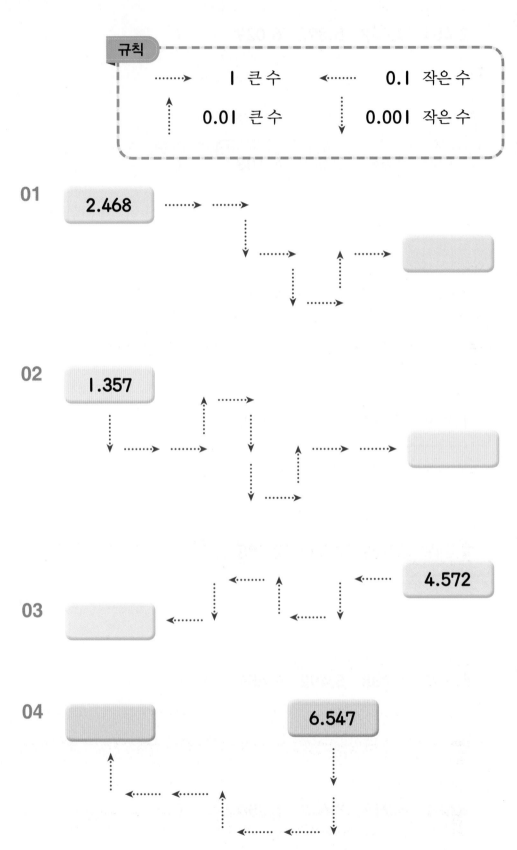

01   2.468

02   1.357

03   4.572

04   6.547

□ 안에 알맞은 수를 써넣으시오. (05~08)

05

1이	6개
0.1이	□1개
0.01이	□3개
0.001이 1	□개

인 수는 8.5□7입니다.

06

1이	8개
0.1이	□7개
0.01이	□1개
0.001이 3	□개

인 수는 9.9□8입니다.

07

6.□72는

1이	5개
0.1이	□2개
0.01이 2	□개
0.001이 3	□개

인 수입니다.

08

7.□83은

1이	5개
0.1이	□1개
0.01이 5	□개
0.001이 1	□개

인 수입니다.

실력 점검

 소수를 읽어 보거나 소수로 나타내어 보시오. (01~04)

01 0.907 ➡ (　　　　　　　)　　**02** 영 점 육이칠 ➡ (　　　　　　　)

03 4.165 ➡ (　　　　　　　)　　**04** 팔 점 구칠이 ➡ (　　　　　　　)

 ☐ 안에 알맞은 수를 써넣으시오. (05~12)

05 0.734는 0.001이 ☐ 개인 수입니다.

06 1.576은 0.001이 ☐ 개인 수입니다.

07 5.402는 0.001이 ☐ 개인 수입니다.

08 0.001이 617개인 수는 ☐ 입니다.

09 0.001이 1506개인 수는 ☐ 입니다.

10 0.001이 6872개인 수는 ☐ 입니다.

11
1이 8개 ⎤
0.1이 4개 ⎢ 이면 ☐
0.01이 6개 ⎢
0.001이 9개 ⎦

12
☐ 은 ⎡ 1이 9개
⎢ 0.1이 2개
⎢ 0.01이 4개
⎣ 0.001이 7개

 주어진 네 수에서 밑줄 그은 숫자가 나타내는 값의 합을 구하시오. (13~14)

13

| 1.8_7_6   4.258   6.0_7_6   1.98_7_ | (   ) |

14

| _2_.654   5.12_8_   4.6_9_4   3.6_5_7 | (   ) |

 화살표가 다음과 같은 규칙을 가지고 있습니다. 규칙에 맞게 빈칸에 알맞은 수를 써넣으시오.
(15~16)

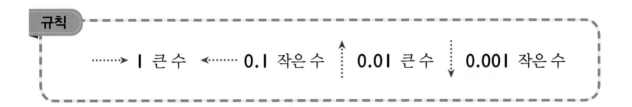

15

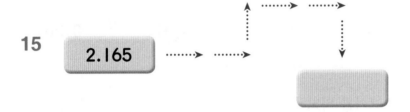

16

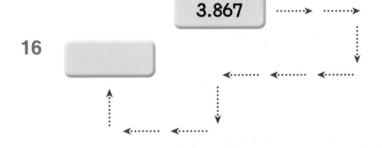

17 ☐ 안에 알맞은 수를 써넣으시오.

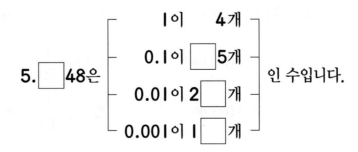

'09 소수의 크기 비교하기, 소수 사이의 관계

개념

1. 소수의 크기 비교하기

• 자연수 부분이 큰 쪽이 더 큰 소수입니다.	**4.356 > 3.751** ⌐4 > 3⌐
• 자연수 부분이 같을 때에는 소수 첫째 자리 숫자가 큰 쪽이 더 큰 소수입니다.	**1.374 > 1.293** ⌐3 > 2⌐
• 소수 첫째 자리까지 같을 때에는 소수 둘째 자리 숫자가 큰 쪽이 더 큰 소수입니다.	**2.413 < 2.452** ⌐1 < 5⌐
• 소수 둘째 자리까지 같을 때에는 소수 셋째 자리 숫자가 큰 쪽이 더 큰 소수입니다.	**5.027 > 5.023** ⌐7 > 3⌐

2. 소수 사이의 관계

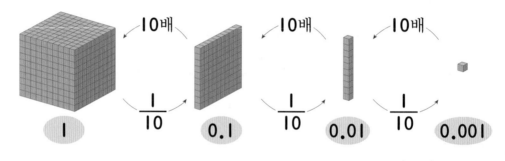

01 6.28과 6.53의 크기를 비교하려고 합니다. ☐ 안에 알맞은 수를 써넣으시오.

(1) 6.28은 0.01이 ☐ 개인 수입니다.

(2) 6.53은 0.01이 ☐ 개인 수입니다.

(3) 6.28과 6.53 중에서 ☐ 이 더 큰 수입니다.

02 1, 0.1, 0.01, 0.001 사이의 관계를 알아보시오.

0.001의 10배 ➡ ☐ 　　　 1의 $\frac{1}{10}$배 ➡ ☐

0.01의 10배 ➡ ☐ 　　　 0.1의 $\frac{1}{10}$배 ➡ ☐

0.1의 10배 ➡ ☐ 　　　 0.01의 $\frac{1}{10}$배 ➡ ☐

○ 안에 >, =, <를 알맞게 써넣으시오. (03~12)

03 6.82 ◯ 5.94

04 1.97 ◯ 6.25

05 0.581 ◯ 0.39

06 0.23 ◯ 0.213

07 9.432 ◯ 9.438

08 6.974 ◯ 6.965

09 6.275 ◯ 6.274

10 1.768 ◯ 1.79

11 7.023 ◯ 7.031

12 5.706 ◯ 5.702

 □ 안에 알맞은 수를 써넣으시오. (13~16)

13 5.74의 10배는 [   ]이고, 100배는 [   ]입니다.

14 6.075의 100배는 [   ]이고, 1000배는 [   ]입니다.

15 12.5의 $\frac{1}{10}$은 [   ]이고, $\frac{1}{100}$은 [   ]입니다.

16 976.4의 $\frac{1}{100}$은 [   ]이고, $\frac{1}{1000}$은 [   ]입니다.

사고력 기르기

 ⊙이 나타내는 값은 ⓒ이 나타내는 값의 몇 배인지 구하시오. (01~06)

01

$$\underset{\underset{⊙}{}\ \underset{ⓒ}{}}{14.647}$$

(   )

02

$$\underset{\underset{⊙}{}\quad \underset{ⓒ}{}}{26.472}$$

(   )

03

$$\underset{\underset{⊙}{}\quad \underset{ⓒ}{}}{67.457}$$

(   )

04

$$\underset{\underset{⊙}{}\underset{ⓒ}{}}{36.308}$$

(   )

05

$$\underset{\underset{⊙}{}\underset{ⓒ}{}}{26.347}$$

(   )

06

$$\underset{\underset{⊙}{}\underset{ⓒ}{}}{86.429}$$

(   )

 ■와 ▲에 알맞은 수를 각각 구하시오. (07~09)

07

■의 $\frac{1}{10}$ 은 2.584이고 ■의 100배는 ▲입니다.

■ : [   ]   ▲ : [   ]

08

■의 $\frac{1}{100}$ 은 1.357이고 ■의 10배는 ▲입니다.

■ : [   ]   ▲ : [   ]

09

■의 $\frac{1}{1000}$ 은 0.2467이고 ■의 100배는 ▲입니다.

■ : [   ]   ▲ : [   ]

수직선에서 ㉠과 ㉡에 알맞은 수를 구하시오. (10~12)

10

1.4km   ↑㉠m   1.5km   ↑㉡m   1.6km

㉠ : ☐   ㉡ : ☐

11

6.5km   ↑㉠m   6.6km   ↑㉡m   6.7km

㉠ : ☐   ㉡ : ☐

12

8.1km   ↑㉠m   8.2km   ↑㉡m   8.3km

㉠ : ☐   ㉡ : ☐

 가장 큰 수부터 차례로 쓰시오. (13~15)

13

$3\frac{6}{100}$ 3.1 $3\frac{857}{1000}$ 3.902 $3\frac{15}{1000}$

(   )

14

$4\frac{7}{10}$ 4.6 $4\frac{29}{100}$ 4.902 $4\frac{274}{1000}$

(   )

15

$8\frac{29}{100}$ 8.5 $8\frac{976}{1000}$ 8.86 $8\frac{81}{100}$

(   )

사고력 기르기

✿ □ 안에 들어갈 수 있는 숫자 중 가장 큰 숫자를 찾아 쓰시오. (01~08)

01
6.8□4<6.832

( )

02
5.9□3<5.957

( )

03
18.□62<18.475

( )

04
21.□63<21.658

( )

05
9.765>9.7□3

( )

06
1.748>1.□49

( )

07
15.847>15.8□9

( )

08
36.319>36.□21

( )

✿ □ 안에 들어갈 수 있는 숫자 중 가장 작은 숫자를 찾아 쓰시오. (09~16)

09
5.4□3>5.432

( )

10
8.6□3>8.672

( )

11
7.□65>7.567

( )

12
12.□98>12.876

( )

13
8.629<8.6□7

( )

14
3.129<3.1□7

( )

15
21.327<21.□35

( )

16
46.726<46.□25

( )

☐ 안에 들어갈 수 있는 자연수는 모두 몇 개인지 구하시오. (17~20)

17

$$1.03 < \frac{\square}{100} < 2$$

(   )

18

$$3.17 < \frac{\square}{100} < 4$$

(   )

19

$$5.482 < \frac{\square}{1000} < 6$$

(   )

20

$$4.857 < \frac{\square}{1000} < 5$$

(   )

 ☐ 안에는 0부터 9까지의 숫자가 들어갈 수 있습니다. 세 수의 크기를 비교하여 가장 큰 수부터 차례로 기호를 쓰시오. (21~23)

21

㉠ 9☐.498   ㉡ 99.5☐☐   ㉢ ☐0.4☐7

(   )

22

㉠ 49.8☐5   ㉡ 49.7☐8   ㉢ 4☐.6☐7

(   )

23

㉠ 8☐.693   ㉡ 9☐.135   ㉢ 90.0☐☐

(   )

실력 점검

 □ 안에 알맞은 수를 써넣으시오. (01~02)

01 4.97은 0.01이 ☐ 개, 4.86은 0.01이 ☐ 개인 수이므로

4.97과 4.86 중에서 ☐ 이 더 큽니다.

02 1.924는 0.001이 ☐ 개, 1.928은 0.001이 ☐ 개인 수이므로

1.924와 1.928 중에서 ☐ 이 더 큽니다.

 ○ 안에 >, =, <를 알맞게 써넣으시오. (03~08)

03 0.97 ◯ 1.01

04 2.87 ◯ 2.19

05 4.258 ◯ 4.267

06 8.147 ◯ 8.264

07 9.695 ◯ 9.687

08 7.805 ◯ 7.904

□ 안에 알맞은 수를 써넣으시오. (09~10)

09 1.927의 10배는 ☐ 입니다.

1.927의 100배는 ☐ 입니다.

1.927의 1000배는 ☐ 입니다.

10 478의 $\frac{1}{10}$ 은 ☐ 입니다.

478의 $\frac{1}{100}$ 은 ☐ 입니다.

478의 $\frac{1}{1000}$ 은 ☐ 입니다.

 ■와 ▲에 알맞은 수를 각각 구하시오. (11~12)

11

> ■의 $\frac{1}{10}$은 6.548이고 ■의 100배는 ▲입니다.

■ : ☐   ▲ : ☐

12

> ■의 $\frac{1}{100}$은 5.96이고 ■의 10배는 ▲입니다.

■ : ☐   ▲ : ☐

 ☐ 안에 들어갈 수 있는 숫자 중 가장 큰 숫자를 찾아 쓰시오. (13~14)

13

> 7.0☐6<7.047

(   )

14

> 6.785>6.☐95

(   )

☐ 안에 들어갈 수 있는 숫자 중 가장 작은 숫자를 찾아 쓰시오. (15~16)

15

> 1.7☐6>1.754

(   )

16

> 27.569<27.5☐8

(   )

17 ☐ 안에는 0부터 9까지의 숫자가 들어갈 수 있습니다. 세 수의 크기를 비교하여 가장 큰 수부터 차례로 기호를 쓰시오.

> ㉠ 7☐.582   ㉡ 8☐.124   ㉢ 80.07☐

(   )

개념

- 1.36+2.57의 계산
  ① 소수점의 자리를 맞추어 두 소수를 씁니다.
  ② 자연수의 덧셈과 같은 방법으로 같은 자리 숫자끼리 더합니다.
  ③ 소수점을 그대로 내려 찍습니다.

$$
\begin{array}{r} 1.36 \\ +\ 2.57 \\ \hline \end{array}
\Rightarrow
\begin{array}{r} 1.36 \\ +\ 2.57 \\ \hline 3 \end{array}
\Rightarrow
\begin{array}{r} 1.36 \\ +\ 2.57 \\ \hline 93 \end{array}
\Rightarrow
\begin{array}{r} 1.36 \\ +\ 2.57 \\ \hline 3.93 \end{array}
$$

 □ 안에 알맞은 수를 써넣으시오. (01~04)

01

$$
\begin{array}{r} 2.7 \\ +\ 1.5 \\ \hline \end{array}
\Rightarrow
\begin{array}{r} 2.7 \rightarrow 0.1이 \boxed{} 개 \\ +\ 1.5 \rightarrow 0.1이 \boxed{} 개 \\ \hline 0.1이 \boxed{} 개 \end{array}
\Rightarrow
\begin{array}{r} 2.7 \\ +\ 1.5 \\ \hline \boxed{} \end{array}
$$

02

$$
\begin{array}{r} 3.65 \\ +\ 2.84 \\ \hline \end{array}
\Rightarrow
\begin{array}{r} 3.65 \rightarrow 0.01이 \boxed{} 개 \\ +\ 2.84 \rightarrow 0.01이 \boxed{} 개 \\ \hline 0.01이 \boxed{} 개 \end{array}
\Rightarrow
\begin{array}{r} 3.65 \\ +\ 2.84 \\ \hline \boxed{} \end{array}
$$

03

$$
\begin{array}{r} 0.876 \\ +\ 1.295 \\ \hline \end{array}
\Rightarrow
\begin{array}{r} 0.876 \rightarrow 0.001이 \boxed{} 개 \\ +\ 1.295 \rightarrow 0.001이 \boxed{} 개 \\ \hline 0.001이 \boxed{} 개 \end{array}
\Rightarrow
\begin{array}{r} 0.876 \\ +\ 1.295 \\ \hline \boxed{} \end{array}
$$

04

$$
\begin{array}{r} 0.097 \\ +\ 2.908 \\ \hline \end{array}
\Rightarrow
\begin{array}{r} 0.097 \rightarrow 0.001이 \boxed{} 개 \\ +\ 2.908 \rightarrow 0.001이 \boxed{} 개 \\ \hline 0.001이 \boxed{} 개 \end{array}
\Rightarrow
\begin{array}{r} 0.097 \\ +\ 2.908 \\ \hline \boxed{} \end{array}
$$

05 1.8은 0.1이 ▢ 개, 2.9는 0.1이 ▢ 개

➡ 1.8+2.9는 0.1이 ▢ 개

➡ 1.8+2.9= ▢

06 4.08은 0.01이 ▢ 개, 2.16은 0.01이 ▢ 개

➡ 4.08+2.16은 0.01이 ▢ 개

➡ 4.08+2.16= ▢

07 4.258은 0.001이 ▢ 개, 1.076은 0.001이 ▢ 개

➡ 4.258+1.076은 0.001이 ▢ 개

➡ 4.258+1.076= ▢

 계산을 하시오. (08~17)

08 1.8+4.1

09 6.5+4.9

10 4.6+6.7

11 3.8+5.7

12 1.74+0.98

13 6.25+4.86

14 5.98+9.71

15 8.64+4.15

16 2.468+1.375

17 7.624+1.378

사고력 기르기

 ☐ 안에 알맞은 수를 써넣으시오. (01~08)

01 1.52+☐=4.78

02 6.54+☐=7.65

03 ☐+1.27=6.58

04 ☐+6.05=7.28

05 0.245+☐=1.789

06 4.725+☐=8.976

07 ☐+3.153=6.589

08 ☐+4.125=8.549

 ☐ 안에 알맞은 숫자를 써넣으시오. (09~14)

09
```
    4 . 7 ☐
+   3 . ☐ 8
─────────
    ☐ . 1 4
```

10
```
    ☐ . 7 6 ☐
+   1 . 5 ☐ 7
───────────
    4 . ☐ 0 9
```

11
```
    ☐ . 5 9
+   3 . 6 ☐
─────────
    8 . ☐ 1
```

12
```
    1 . 3 ☐ 7
+   ☐ . 8 4 ☐
───────────
    6 . ☐ 7 2
```

13
```
    3 . ☐ 5
+   ☐ . 8 4
─────────
    7 . 3 ☐
```

14
```
    3 . 6 2 ☐
+   ☐ . 8 ☐ 3
───────────
    8 . ☐ 2 1
```

두 덧셈식이 성립하도록 ■, ▲, ●, ☆에 알맞은 숫자를 구하시오. (단, 같은 무늬는 같은 숫자를 나타냅니다.) (15~16)

15

$$4.3■ + 3.▲6 = 7.●1$$
$$1.2■ + 2.▲9 = 3.6☆$$

■ (   )
▲ (   )
● (   )
☆ (   )

16

$$■.84 + 2.▲3 = 7.●7$$
$$■.63 + 3.▲5 = ☆.38$$

■ (   )
▲ (   )
● (   )
☆ (   )

 □ 안에 들어갈 수 있는 숫자를 모두 구하시오. (17~20)

17

$$2.63+4.92>7.□5$$

(   )

18

$$16.87+14.79<31.□6$$

(   )

19

$$5.625+3.894>9.□19$$

(   )

20

$$12.847+9.658<22.50□$$

(   )

사고력 기르기

Step 2

🌸 주어진 소수를 ◯ 안에 써넣어 같은 줄에 있는 세 소수의 합이 모두 같도록 하시오. (01~02)

01

3.1	3.3	3.5	3.7
	3.9	4.1	4.3

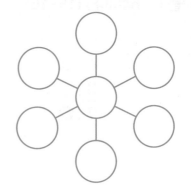

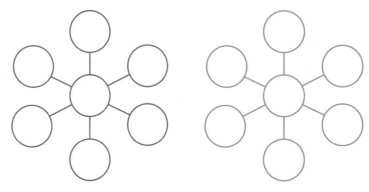

02

6.57	6.81	7.05
7.29	7.53	7.77
8.01	8.25	8.49

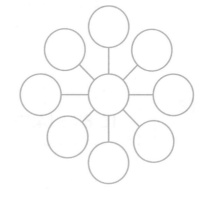

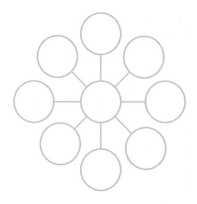
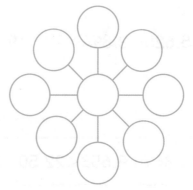

■<▲<◉ 일 때 조건을 만족하는 덧셈식을 모두 만들어 보시오. (03~04)

03

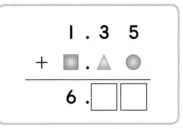

```
   1 . 3 5
 + ■ . ▲ ◉
 ─────────
   6 . □ □
```

```
     1 . 3 5
 + □ . □ □
 ─────────
   6 . □ □
```

```
     1 . 3 5
 + □ . □ □
 ─────────
   6 . □ □
```

```
     1 . 3 5
 + □ . □ □
 ─────────
   6 . □ □
```

```
     1 . 3 5
 + □ . □ □
 ─────────
   6 . □ □
```

```
     1 . 3 5
 + □ . □ □
 ─────────
   6 . □ □
```

```
     1 . 3 5
 + □ . □ □
 ─────────
   6 . □ □
```

04

```
   ■ . ▲ ◉
 + 8 . 7 6
 ─────────
 □ 2 . □ 5
```

```
   □ . □ □
 + 8 . 7 6
 ─────────
 □ 2 . □ 5
```

```
   □ . □ □
 + 8 . 7 6
 ─────────
 □ 2 . □ 5
```

```
   □ . □ □
 + 8 . 7 6
 ─────────
 □ 2 . □ 5
```

```
   □ . □ □
 + 8 . 7 6
 ─────────
 □ 2 . □ 5
```

```
   □ . □ □
 + 8 . 7 6
 ─────────
 □ 2 . □ 5
```

실력 점검

 ☐ 안에 알맞은 수를 써넣으시오. (01~03)

01

$$3.7$$
$$+ 2.6$$
➡
3.7 → 0.1이 ☐ 개
+ 2.6 → 0.1이 ☐ 개
0.1이 ☐ 개
➡
3.7
+ 2.6
☐

02

$$1.65$$
$$+ 2.58$$
➡
1.65 → 0.01이 ☐ 개
+ 2.58 → 0.01이 ☐ 개
0.01이 ☐ 개
➡
1.65
+ 2.58
☐

03 3.456은 0.001이 ☐ 개, 1.027은 0.001이 ☐ 개

➡ 3.456+1.027은 0.001이 ☐ 개

➡ 3.456+1.027= ☐

 계산을 하시오. (04~13)

04 0.7+0.5   **05** 0.9+1.5

06 1.8+9.4   **07** 4.8+8.4

08 2.98+7.56   **09** 3.14+1.79

10 6.29+9.18   **11** 4.97+6.09

12 3.198+2.417   **13** 7.536+2.973

 □ 안에 알맞은 숫자를 써넣으시오. (14~15)

14
```
    3 . 8 □
  + 2 . □ 7
  ─────────
    □ . 8 1
```

15
```
    2 . 4 □ 6
  + □ . 7 8 □
  ───────────
    6 . □ 4 5
```

 □ 안에 들어갈 수 있는 숫자를 모두 구하시오. (16~17)

16
$$12.56 + 7.29 < 19.\square 6$$
(   )

17
$$6.248 + 2.173 > 8.\square 29$$
(   )

18 주어진 소수를 ◯ 안에 써넣어 같은 줄에 있는 세 소수의 합이 모두 같도록 하시오.

| 2.3 | 2.6 | 2.9 | 3.2 | 3.5 | 3.8 | 4.1 |

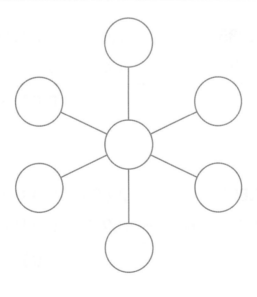

11 자릿수가 다른 소수의 덧셈

• 1.25+3.9의 계산

① 소수점의 자리를 맞추어 두 소수를 씁니다. 이때 소수의 자릿수가 다를 경우에는 소수점 아래 끝자리 뒤에 0이 있는 것으로 생각하여 계산합니다.

② 자연수의 덧셈과 같은 방법으로 같은 자리 숫자끼리 더합니다.

③ 소수점을 그대로 내려 찍습니다.

$$
\begin{array}{r} 1.25 \\ +\ 3.90 \\ \hline \end{array}
\Rightarrow
\begin{array}{r} 1.25 \\ +\ 3.90 \\ \hline 5 \end{array}
\Rightarrow
\begin{array}{r} \overset{1}{1}.25 \\ +\ 3.90 \\ \hline 15 \end{array}
\Rightarrow
\begin{array}{r} \overset{1}{1}.25 \\ +\ 3.90 \\ \hline 5.15 \end{array}
$$

□ 안에 알맞은 수를 써넣으시오. (01~04)

01

$$
\begin{array}{r} 4.6 \\ +\ 2.58 \\ \hline \end{array}
\Rightarrow
\begin{array}{r} 4.6 \\ +\ 2.58 \\ \hline \end{array}
\begin{array}{l} \rightarrow 0.01\text{이}\ \boxed{}\ \text{개} \\ \rightarrow 0.01\text{이}\ \boxed{}\ \text{개} \\ \hline 0.01\text{이}\ \boxed{}\ \text{개} \end{array}
\Rightarrow
\begin{array}{r} 4.6 \\ +\ 2.58 \\ \hline \boxed{} \end{array}
$$

02

$$
\begin{array}{r} 3.76 \\ +\ 2.8 \\ \hline \end{array}
\Rightarrow
\begin{array}{r} 3.76 \\ +\ 2.8 \\ \hline \end{array}
\begin{array}{l} \rightarrow 0.01\text{이}\ \boxed{}\ \text{개} \\ \rightarrow 0.01\text{이}\ \boxed{}\ \text{개} \\ \hline 0.01\text{이}\ \boxed{}\ \text{개} \end{array}
\Rightarrow
\begin{array}{r} 3.76 \\ +\ 2.8 \\ \hline \boxed{} \end{array}
$$

03

$$
\begin{array}{r} 1.985 \\ +\ 4.67 \\ \hline \end{array}
\Rightarrow
\begin{array}{r} 1.985 \\ +\ 4.67 \\ \hline \end{array}
\begin{array}{l} \rightarrow 0.001\text{이}\ \boxed{}\ \text{개} \\ \rightarrow 0.001\text{이}\ \boxed{}\ \text{개} \\ \hline 0.001\text{이}\ \boxed{}\ \text{개} \end{array}
\Rightarrow
\begin{array}{r} 1.985 \\ +\ 4.67 \\ \hline \boxed{} \end{array}
$$

04

$$
\begin{array}{r} 2.893 \\ +\ 3.7 \\ \hline \end{array}
\Rightarrow
\begin{array}{r} 2.893 \\ +\ 3.7 \\ \hline \end{array}
\begin{array}{l} \rightarrow 0.001\text{이}\ \boxed{}\ \text{개} \\ \rightarrow 0.001\text{이}\ \boxed{}\ \text{개} \\ \hline 0.001\text{이}\ \boxed{}\ \text{개} \end{array}
\Rightarrow
\begin{array}{r} 2.893 \\ +\ 3.7 \\ \hline \boxed{} \end{array}
$$

□ 안에 알맞은 수를 써넣으시오. (05~07)

05 1.48은 0.01이 ☐ 개, 3.8은 0.01이 ☐ 개

➡ 1.48+3.8은 0.01이 ☐ 개

➡ 1.48+3.8= ☐

06 5.8은 0.01이 ☐ 개, 4.15는 0.01이 ☐ 개

➡ 5.8+4.15는 0.01이 ☐ 개

➡ 5.8+4.15= ☐

07 3.724는 0.001이 ☐ 개, 5.68은 0.001이 ☐ 개

➡ 3.724+5.68은 0.001이 ☐ 개

➡ 3.724+5.68= ☐

 계산을 하시오. (08~17)

08 0.76+0.9

09 0.6+0.82

10 1.58+4.7

11 6.7+5.24

12 3.62+1.2

13 4.6+5.78

14 6.089+2.94

15 4.17+3.624

16 9.476+5.82

17 2.18+6.758

사고력 기르기

 □ 안에 알맞은 수를 써넣으시오. (01~08)

01 1.97+□=3.57

02 □+0.4=2.58

03 4.6+□=7.92

04 □+4.3=9.65

05 1.078+□=3.628

06 □+2.17=5.621

07 6.475+□=9.975

08 □+3.65=8.473

 □ 안에 알맞은 숫자를 써넣으시오. (09~14)

09
```
    □ . 5 □
  + 2 . □
  ─────────
    7 . 2 8
```

10
```
    2 . □ 4 □
  + 0 . 6 □
  ─────────
    □ . 3 9 8
```

11
```
    □ . 6 4
  + 1 . □
  ─────────
    7 . 5 □
```

12
```
    5 . □ 8 1
  + 3 . 2 □
  ─────────
    □ . 2 5 □
```

13
```
    9 . □
  + 2 . 6 □
  ─────────
   □□ . 3 9
```

14
```
    6 . 8 □
  + □ . 2 4 □
  ─────────
   □ 4 . □ 3 3
```

두 덧셈식이 성립하도록 ■, ▲, ●, ☆에 알맞은 숫자를 구하시오. (단, 같은 무늬는 같은 숫자를 나타냅니다.) (15~16)

15

$$\begin{array}{r} 1.4\,\blacksquare\,6 \\ +\ 3.\blacktriangle\,9 \\ \hline 4.6\,\bullet\,6 \end{array} \qquad \begin{array}{r} 4.5\,\blacksquare \\ +\ 3.\blacktriangle\,5\,7 \\ \hline 7.\bigstar\,1\,7 \end{array}$$

■ (   )
▲ (   )
● (   )
☆ (   )

16

$$\begin{array}{r} \blacksquare.5\,3\,8 \\ +\ 4.\blacktriangle\,2 \\ \hline \bullet.3\,5\,8 \end{array} \qquad \begin{array}{r} \blacksquare.4\,2\,3 \\ +\ 2.\blacktriangle\,7 \\ \hline 7.\bigstar\,9\,3 \end{array}$$

■ (   )
▲ (   )
● (   )
☆ (   )

 ☐ 안에 들어갈 수 있는 숫자를 모두 구하시오. (17~20)

17

$$4.85+2.7>7.\boxed{}6$$

(   )

18

$$9.872+3.64>13.\boxed{}1$$

(   )

19

$$6.28+3.4<9.\boxed{}8$$

(   )

20

$$7.964+5.67<13.\boxed{}5$$

(   )

 ☐와 ◯ 안에 숫자를 써넣어 여러 가지 덧셈식을 만들어 보시오. (단, ◯ 안에 넣을 숫자는 같은 숫자입니다. (01~03)

01

```
    6 . ☐ ◯
  +   ☐ . 5
  ─────────
    ◯ . ◯ ◯
```

```
    6 . ☐ ◯
  +   ☐ . 5
  ─────────
    ◯ . ◯ ◯
```

```
    6 . ☐ ◯
  +   ☐ . 5
  ─────────
    ◯ . ◯ ◯
```

```
    6 . ☐ ◯
  +   ☐ . 5
  ─────────
    ◯ . ◯ ◯
```

02

```
    4 . 7 ☐ ◯
  +   ☐ . ☐ 5
  ───────────
    ◯ . ◯ ◯ ◯
```

```
    4 . 7 ☐ ◯
  +   ☐ . ☐ 5
  ───────────
    ◯ . ◯ ◯ ◯
```

```
    4 . 7 ☐ ◯
  +   ☐ . ☐ 5
  ───────────
    ◯ . ◯ ◯ ◯
```

```
    4 . 7 ☐ ◯
  +   ☐ . ☐ 5
  ───────────
    ◯ . ◯ ◯ ◯
```

```
    4 . 7 ☐ ◯
  +   ☐ . ☐ 5
  ───────────
    ◯ . ◯ ◯ ◯
```

03

```
    4 . 2 ☐ ◯
  +   ☐ . ☐ 9
  ───────────
    ◯ . ◯ ◯ ◯
```

```
    4 . 2 ☐ ◯
  +   ☐ . ☐ 9
  ───────────
    ◯ . ◯ ◯ ◯
```

```
    4 . 2 ☐ ◯
  +   ☐ . ☐ 9
  ───────────
    ◯ . ◯ ◯ ◯
```

```
    4 . 2 ☐ ◯
  +   ☐ . ☐ 9
  ───────────
    ◯ . ◯ ◯ ◯
```

```
    4 . 2 ☐ ◯
  +   ☐ . ☐ 9
  ───────────
    ◯ . ◯ ◯ ◯
```

```
    4 . 2 ☐ ◯
  +   ☐ . ☐ 9
  ───────────
    ◯ . ◯ ◯ ◯
```

■ < ▲ < ● 이고 ▲ − ■ = ● − ▲ 일 때 조건을 만족하는 덧셈식을 모두 만들어 보시오.

(04~06)

04

```
    ■ . ▲ ● 6
+   5 . 4 2
─────────────
  8 . □ □ 6
```

```
  □ . □ □ 6
+   5 . 4 2
─────────────
  8 . □ □ 6
```

```
  □ . □ □ 6
+   5 . 4 2
─────────────
  8 . □ □ 6
```

```
  □ . □ □ 6
+   5 . 4 2
─────────────
  8 . □ □ 6
```

05

```
    ■ . ▲ ● 9
+   2 . 3 1
─────────────
  6 . □ □ 9
```

```
  □ . □ □ 9
+   2 . 3 1
─────────────
  6 . □ □ 9
```

```
  □ . □ □ 9
+   2 . 3 1
─────────────
  6 . □ □ 9
```

```
  □ . □ □ 9
+   2 . 3 1
─────────────
  6 . □ □ 9
```

06

```
    ■ . ▲ ● 5
+   3 . 5 2
─────────────
  4 . □ □ 5
```

```
  □ . □ □ 5
+   3 . 5 2
─────────────
  4 . □ □ 5
```

```
  □ . □ □ 5
+   3 . 5 2
─────────────
  4 . □ □ 5
```

```
  □ . □ □ 5
+   3 . 5 2
─────────────
  4 . □ □ 5
```

```
  □ . □ □ 5
+   3 . 5 2
─────────────
  4 . □ □ 5
```

실력 점검

 ☐ 안에 알맞은 수를 써넣으시오. (01~03)

01

$$5.84 + 2.9$$ ➡ $$5.84 → 0.01이 \boxed{} 개$$ $$+ 2.9 → 0.01이 \boxed{} 개$$ $$0.01이 \boxed{} 개$$ ➡ $$5.84 + 2.9 \boxed{}$$

02

$$0.769 + 4.85$$ ➡ $$0.769 → 0.001이 \boxed{} 개$$ $$+ 4.85 → 0.001이 \boxed{} 개$$ $$0.001이 \boxed{} 개$$ ➡ $$0.769 + 4.85 \boxed{}$$

03 6.25는 0.001이 $\boxed{}$ 개, 1.087은 0.001이 $\boxed{}$ 개

➡ 6.25+1.087은 0.001이 $\boxed{}$ 개

➡ 6.25+1.087= $\boxed{}$

 계산을 하시오. (04~13)

04 6.75+1.5

05 4.96+5.8

06 8.61+1.8

07 9.98+4.6

08 4.9+16.72

09 3.6+11.78

10 1.468+2.97

11 4.584+6.47

12 6.957+4.18

13 8.642+5.91

 ☐ 안에 들어갈 수 있는 숫자는 모두 몇 개인지 구하시오. (14~17)

14

11.25+8.4>19.☐5   (   )

15

6.725+11.58>18.☐02   (   )

16

4.98+15.7<20.☐9   (   )

17

4.582+5.84<10.☐12   (   )

18 ■<▲<●이고 ▲−■=●−▲일 때 조건을 만족하는 덧셈식을 모두 만들어 보시오.

```
     ■ . ▲ ● 8          ☐ . ☐ ☐ 8
  +  4 . 5  3        +  4 . 5  3
  ―――――――――        ―――――――――
   6 . ☐ ☐ 8          6 . ☐ ☐ 8
```

```
   ☐ . ☐ ☐ 8          ☐ . ☐ ☐ 8          ☐ . ☐ ☐ 8
+  4 . 5  3        +  4 . 5  3        +  4 . 5  3
―――――――――        ―――――――――        ―――――――――
 6 . ☐ ☐ 8          6 . ☐ ☐ 8          6 . ☐ ☐ 8
```

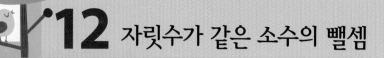

· **5.67−1.85**의 계산

① 소수점의 자리를 맞추어 두 소수를 씁니다.

② 자연수의 뺄셈과 같은 방법으로 같은 자리 숫자끼리 뺍니다.

③ 소수점을 그대로 내려 찍습니다.

$$
\begin{array}{r} 5.67 \\ -\ 1.85 \\ \hline \end{array}
\Rightarrow
\begin{array}{r} 5.67 \\ -\ 1.85 \\ \hline 2 \end{array}
\Rightarrow
\begin{array}{r} {}^{4\ 10} \\ 5\!\!\!/.67 \\ -\ 1.85 \\ \hline 8\,2 \end{array}
\Rightarrow
\begin{array}{r} {}^{4\ 10} \\ 5\!\!\!/.67 \\ -\ 1.85 \\ \hline 3.82 \end{array}
$$

🌸 ☐ 안에 알맞은 수를 써넣으시오. (01~03)

01

$$
\begin{array}{r} 4.2 \\ -\ 2.7 \\ \hline \end{array}
\Rightarrow
\begin{array}{r} 4.2 \rightarrow 0.1\text{이}\ \boxed{}\ \text{개} \\ -\ 2.7 \rightarrow 0.1\text{이}\ \boxed{}\ \text{개} \\ \hline 0.1\text{이}\ \boxed{}\ \text{개} \end{array}
\Rightarrow
\begin{array}{r} 4.2 \\ -\ 2.7 \\ \hline \boxed{} \end{array}
$$

02

$$
\begin{array}{r} 3.65 \\ -\ 1.24 \\ \hline \end{array}
\Rightarrow
\begin{array}{r} 3.65 \rightarrow 0.01\text{이}\ \boxed{}\ \text{개} \\ -\ 1.24 \rightarrow 0.01\text{이}\ \boxed{}\ \text{개} \\ \hline 0.01\text{이}\ \boxed{}\ \text{개} \end{array}
\Rightarrow
\begin{array}{r} 3.65 \\ -\ 1.24 \\ \hline \boxed{} \end{array}
$$

03

$$
\begin{array}{r} 5.087 \\ -\ 1.254 \\ \hline \end{array}
\Rightarrow
\begin{array}{r} 5.087 \rightarrow 0.001\text{이}\ \boxed{}\ \text{개} \\ -\ 1.254 \rightarrow 0.001\text{이}\ \boxed{}\ \text{개} \\ \hline 0.001\text{이}\ \boxed{}\ \text{개} \end{array}
\Rightarrow
\begin{array}{r} 5.087 \\ -\ 1.254 \\ \hline \boxed{} \end{array}
$$

☐ 안에 알맞은 수를 써넣으시오. (04~06)

04 6.9는 0.1이 ☐ 개, 1.7은 0.1이 ☐ 개

➡ 6.9−1.7은 0.1이 ☐ 개

➡ 6.9−1.7= ☐

05 4.98은 0.01이 ☐ 개, 2.18은 0.01이 ☐ 개

➡ 4.98−2.18은 0.01이 ☐ 개

➡ 4.98−2.18= ☐

06 7.845는 0.001이 ☐ 개, 5.198은 0.001이 ☐ 개

➡ 7.845−5.198은 0.001이 ☐ 개

➡ 7.845−5.198= ☐

 계산을 하시오. (07~16)

07 6.5−1.8

08 9.6−6.9

09 8.6−7.8

10 12.4−7.6

11 4.25−1.74

12 6.87−1.58

13 11.75−4.84

14 27.62−11.75

15 4.987−1.258

16 9.642−8.765

□ 안에 알맞은 수를 써넣으시오. (01~08)

01   5.98 − □ = 1.27

02   2.987 − □ = 1.274

03   6.16 − □ = 3.65

04   8.654 − □ = 3.765

05   □ − 1.97 = 3.28

06   □ − 0.765 = 3.148

07   □ − 2.05 = 8.74

08   □ − 3.629 = 9.876

□ 안에 알맞은 숫자를 써넣으시오. (09~14)

09
```
    9 . 3 □
 -  2 . □ 6
 ──────────
    □ . 4 7
```

10
```
    4 . 6 □ 8
 -  3 . □ 4 □
 ────────────
    □ . 0 7 5
```

11
```
    8 . 4 □
 -  □ . 7 8
 ──────────
    4 . □ 5
```

12
```
    9 . □ 4 □
 -  3 . 5 □ 3
 ────────────
    □ . 6 6 4
```

13
```
    9 . □ 8
 -  3 . 7 □
 ──────────
    □ . 3 9
```

14
```
    □ . 4 6 □
 -  3 . □ 8 4
 ────────────
    4 . 6 □ 8
```

█가 될 수 있는 수 중에서 가장 큰 수를 구하시오. (15~18)

15

$8.89-3.2\blacksquare>5.63$ (　　　　　　)

16

$7.96-6.\blacksquare2>1.43$ (　　　　　　)

17

$5.786-1.5\blacksquare2>4.243$ (　　　　　　)

18

$7.988-3.\blacksquare56>4.231$ (　　　　　　)

 □ 안에 들어갈 수 있는 숫자는 모두 몇 개인지 구하시오. (19~22)

19

$6.7\square-2.53>4.23$ (　　　　　　)

20

$8.\square01-2.143>6.458$ (　　　　　　)

21

$17.\square2-4.58<12.75$ (　　　　　　)

22

$7.\square85-2.964<4.718$ (　　　　　　)

🌸 주어진 뺄셈식이 성립할 때 각각의 모양이 나타내는 숫자를 구하시오. (01~04)

01

$$
\begin{array}{r}
\triangle . \triangle\ 2 \\
- \ \blacksquare . \blacksquare\ \triangle \\
\hline
8 . 7\ 4
\end{array}
$$

■ (   )
△ (   )

02

$$
\begin{array}{r}
\bullet . \triangle\ 3 \\
- \ \blacksquare . \blacksquare\ \triangle \\
\hline
4 . 2\ 6
\end{array}
$$

■ (   )
△ (   )
● (   )

03

$$
\begin{array}{r}
7 . \bullet\ \bullet\ 1 \\
- \ \blacksquare . \blacksquare\ \triangle\ \triangle \\
\hline
6 . 2\ 7\ 5
\end{array}
$$

■ (   )
△ (   )
● (   )

04

$$
\begin{array}{r}
\star . \bullet\ \bullet\ 4 \\
- \ \blacksquare . \blacksquare\ \triangle\ \triangle \\
\hline
3 . 4\ 8\ 7
\end{array}
$$

■ (   )
△ (   )
● (   )
★ (   )

05 주어진 식은 받아내림이 한 번 있는 뺄셈식입니다. 조건에 맞는 여러 가지 뺄셈식을
만들어 보시오. (단, 서로 다른 모양은 서로 다른 숫자입니다.)

```
    5 . 8 □          5 . 8 □          5 . 8 □
  − 3 . □□        − 3 . □□        − 3 . □□
  ────────        ────────        ────────
    □ . 3 6          □ . 3 6          □ . 3 6
```

 1부터 9까지의 숫자가 모두 사용된 뺄셈식이 되도록 빈칸을 채워 보시오. (06~07)

06
```
    □ . □ 4          □ . □ 4
  −   6 . □□        −   6 . □□
  ────────        ────────
    □ . 8 □          □ . 8 □
```

07
```
    □ . □ 7          □ . □ 7
  − □ . 4 □        − □ . 4 □
  ────────        ────────
    5 . □□          5 . □□


    □ . □ 7          □ . □ 7
  − □ . 4 □        − □ . 4 □
  ────────        ────────
    5 . □□          5 . □□
```

실력 점검

 □ 안에 알맞은 수를 써넣으시오. (01~03)

01

$$\begin{array}{r} 3.6 \\ -\ 1.5 \\ \hline \end{array}$$

➡

$$\begin{array}{r} 3.6 \rightarrow 0.1이\ \boxed{}\ 개 \\ -\ 1.5 \rightarrow 0.1이\ \boxed{}\ 개 \\ \hline 0.1이\ \boxed{}\ 개 \end{array}$$

➡

$$\begin{array}{r} 3.6 \\ -\ 1.5 \\ \hline \boxed{} \end{array}$$

02

$$\begin{array}{r} 4.75 \\ -\ 1.28 \\ \hline \end{array}$$

➡

$$\begin{array}{r} 4.75 \rightarrow 0.01이\ \boxed{}\ 개 \\ -\ 1.28 \rightarrow 0.01이\ \boxed{}\ 개 \\ \hline 0.01이\ \boxed{}\ 개 \end{array}$$

➡

$$\begin{array}{r} 4.75 \\ -\ 1.28 \\ \hline \boxed{} \end{array}$$

03 6.275는 0.001이 $\boxed{}$ 개, 3.158은 0.001이 $\boxed{}$ 개

➡ 6.275−3.158은 0.001이 $\boxed{}$ 개

➡ 6.275−3.158= $\boxed{}$

 계산을 하시오. (04~13)

04 6.8−1.5

05 5.9−3.8

06 12.7−7.8

07 24.8−17.6

08 4.98−2.64

09 6.07−3.94

10 11.75−9.84

11 25.48−15.69

12 7.925−1.784

13 9.876−6.789

 □ 안에 알맞은 숫자를 써넣으시오. (14~15)

14

$$
\begin{array}{r}
8\ .\ 3\ \boxed{} \\
-\ \ 3\ .\ \boxed{}\ 9 \\
\hline
\boxed{}\ .\ 8\ 7
\end{array}
$$

15

$$
\begin{array}{r}
6\ .\ 5\ \boxed{}\ 7 \\
-\ \ 2\ .\ \boxed{}\ 9\ \boxed{} \\
\hline
\boxed{}\ .\ 7\ 4\ 3
\end{array}
$$

 □ 안에 들어갈 수 있는 숫자는 모두 몇 개인지 구하시오. (16~17)

16

$12.7\boxed{}-5.84>6.91$ (   )

17

$9.\boxed{}78-2.549>7.129$ (   )

 주어진 뺄셈식이 성립할 때 각각의 모양이 나타내는 숫자를 구하시오. (18~19)

18

$$
\begin{array}{r}
\blacksquare\ .\ \blacksquare\ \triangle \\
-\ \ \bullet\ .\ \triangle\ 9 \\
\hline
6\ .\ 3\ 5
\end{array}
$$

■ (   )
▲ (   )
● (   )

19

$$
\begin{array}{r}
\star\ .\ \bullet\ \bullet\ 2 \\
-\ \ \blacksquare\ .\ \blacksquare\ \triangle\ \triangle \\
\hline
1\ .\ 8\ 7\ 4
\end{array}
$$

■ (   )
▲ (   )
● (   )
★ (   )

13 자릿수가 다른 소수의 뺄셈

개념

• 4.72 − 2.8의 계산

① 소수점의 자리를 맞추어 두 소수를 씁니다. 이때 소수의 자릿수가 다르면 소수점 아래 끝 자리 뒤에 0이 있는 것으로 생각하여 계산합니다.

② 자연수의 뺄셈과 같은 방법으로 같은 자리 숫자끼리 뺍니다.

③ 소수점을 그대로 내려 찍습니다.

$$
\begin{array}{r}
4.72 \\
-2.80 \\
\hline
\end{array}
\;\Rightarrow\;
\begin{array}{r}
4.72 \\
-2.80 \\
\hline
2
\end{array}
\;\Rightarrow\;
\begin{array}{r}
{\scriptstyle 3\;10}\\
\cancel{4}.72 \\
-2.80 \\
\hline
92
\end{array}
\;\Rightarrow\;
\begin{array}{r}
{\scriptstyle 3\;10}\\
\cancel{4}.72 \\
-2.80 \\
\hline
1.92
\end{array}
$$

□ 안에 알맞은 수를 써넣으시오. (01~03)

01

$$
\begin{array}{r}
6.72 \\
-3.8 \\
\hline
\end{array}
\;\Rightarrow\;
\begin{array}{r}
6.72 \rightarrow 0.01\text{이}\;\boxed{}\;\text{개}\\
-3.8 \rightarrow 0.01\text{이}\;\boxed{}\;\text{개}\\
\hline
0.01\text{이}\;\boxed{}\;\text{개}
\end{array}
\;\Rightarrow\;
\begin{array}{r}
6.72 \\
-3.8 \\
\hline
\boxed{}
\end{array}
$$

02

$$
\begin{array}{r}
9.7 \\
-5.64 \\
\hline
\end{array}
\;\Rightarrow\;
\begin{array}{r}
9.7 \rightarrow 0.01\text{이}\;\boxed{}\;\text{개}\\
-5.64 \rightarrow 0.01\text{이}\;\boxed{}\;\text{개}\\
\hline
0.01\text{이}\;\boxed{}\;\text{개}
\end{array}
\;\Rightarrow\;
\begin{array}{r}
9.7 \\
-5.64 \\
\hline
\boxed{}
\end{array}
$$

03

$$
\begin{array}{r}
2.625 \\
-0.78 \\
\hline
\end{array}
\;\Rightarrow\;
\begin{array}{r}
2.625 \rightarrow 0.001\text{이}\;\boxed{}\;\text{개}\\
-0.78 \rightarrow 0.001\text{이}\;\boxed{}\;\text{개}\\
\hline
0.001\text{이}\;\boxed{}\;\text{개}
\end{array}
\;\Rightarrow\;
\begin{array}{r}
2.625 \\
-0.78 \\
\hline
\boxed{}
\end{array}
$$

□ 안에 알맞은 수를 써넣으시오. (04~06)

04 4.76은 0.01이 [ ] 개, 2.9는 0.01이 [ ] 개

➡ 4.76−2.9는 0.01이 [ ] 개

➡ 4.76−2.9= [ ]

05 11.7은 0.01이 [ ] 개, 8.69는 0.01이 [ ] 개

➡ 11.7−8.69는 0.01이 [ ] 개

➡ 11.7−8.69= [ ]

06 5.796은 0.001이 [ ] 개, 1.97은 0.001이 [ ] 개

➡ 5.796−1.97은 0.001이 [ ] 개

➡ 5.796−1.97= [ ]

 계산을 하시오. (07~16)

07 6.8−1.92

08 9.14−8.7

09 7.69−6.9

10 5.84−2.4

11 14.7−6.25

12 12.75−9.8

13 4.918−1.48

14 6.257−5.78

15 3.074−1.86

16 13.24−2.913

사고력 기르기

Step 1

□ 안에 알맞은 수를 써넣으시오. (01~08)

01 6.27−□=2.17

02 □−1.5=2.58

03 4.65−□=1.25

04 □−5.9=1.27

05 1.258−□=0.128

06 □−0.97=1.596

07 4.756−□=2.526

08 □−3.14=2.792

□ 안에 알맞은 숫자를 써넣으시오. (09~14)

```
09      6 . 7 □
      -   1 . □
        □ . 9 2
```

```
10      1 . □ 4 □
      - □ . 2 □
        1 . 3 9 7
```

```
11      5 . 8 □
      - □ . □
        2 . 9 7
```

```
12      7 . 6 □ 4
      - 2 . □ 8
        □ . 9 7 □
```

```
13      8 . □
      - □ . 4 □
        3 . 7 3
```

```
14      6 . 2 □
      - □ . 7 3 □
        2 . □ 4 6
```

□ 안에 들어갈 수 있는 숫자는 모두 몇 개인지 구하시오. (15~18)

15

$$21.35-8.8>12.\boxed{}4$$

(   )

16

$$7.348-3.96>3.\boxed{}89$$

(   )

17

$$16.78-9.9<6.\boxed{}9$$

(   )

18

$$9.842-2.78<7.0\boxed{}5$$

(   )

  5장의 카드를 모두 사용하여 만들 수 있는 소수 중에서 가장 큰 소수 세 자리 수와 가장 작은 소수 두 자리 수의 차를 구하시오. (19~21)

19

| 1 | 3 | 5 | 7 | . |

(   )

20

| 2 | 4 | 6 | 8 | . |

(   )

21

| 3 | 7 | 8 | 9 | . |

(   )

 ☐와 ○ 안에 I 부터 9까지의 숫자를 써넣어 여러 가지 뺄셈식을 만들어 보시오. (단, ○ 안에 넣을 숫자는 같은 숫자입니다. (01~03)

01

```
   ☐ . 2 ○        ☐ . 2 ○        ☐ . 2 ○
 −  4 . ☐       −  4 . ☐       −  4 . ☐
 ─────────      ─────────      ─────────
   ○ . ○ ○        ○ . ○ ○        ○ . ○ ○
```

02

```
   ☐ . 3 7 ○       ☐ . 3 7 ○       ☐ . 3 7 ○
 −   2 . ☐ ☐     −   2 . ☐ ☐     −   2 . ☐ ☐
 ──────────      ──────────      ──────────
   ○ . ○ ○ ○       ○ . ○ ○ ○       ○ . ○ ○ ○
```

```
   ☐ . 3 7 ○       ☐ . 3 7 ○
 −   2 . ☐ ☐     −   2 . ☐ ☐
 ──────────      ──────────
   ○ . ○ ○ ○       ○ . ○ ○ ○
```

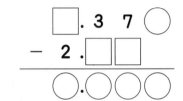

03

```
   ☐ . 4 6 ○       ☐ . 4 6 ○       ☐ . 4 6 ○
 −   I . ☐ ☐     −   I . ☐ ☐     −   I . ☐ ☐
 ──────────      ──────────      ──────────
   ○ . ○ ○ ○       ○ . ○ ○ ○       ○ . ○ ○ ○
```

```
   ☐ . 4 6 ○       ☐ . 4 6 ○
 −   I . ☐ ☐     −   I . ☐ ☐
 ──────────      ──────────
   ○ . ○ ○ ○       ○ . ○ ○ ○
```

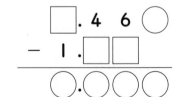

■<▲<◉이고 ▲-■=◉-▲일 때 주어진 뺄셈식을 성립시키는 여러 가지 뺄셈식을
만들어 보시오. (04~06)

04

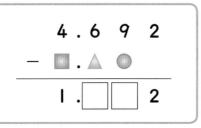

$$
\begin{array}{r}
4\ .\ 6\ \ 9\ \ 2 \\
-\ \ ■\ .\ ▲\ \ ◉ \\
\hline
1\ .\ \square\ \square\ \ 2
\end{array}
$$

```
   4 . 6  9  2          4 . 6  9  2          4 . 6  9  2
 -  □ .□  □            -  □ .□  □            -  □ .□  □
 ─────────            ─────────            ─────────
   1 .□  □  2          1 .□  □  2          1 .□  □  2
```

05

$$
\begin{array}{r}
6\ .\ 5\ \ 7 \\
-\ \ ■\ .\ ▲\ \ ◉\ \ 4 \\
\hline
2\ .\ \square\ \square\ \ 6
\end{array}
$$

```
   6 . 5  7            6 . 5  7            6 . 5  7
 -  □ .□  □  4       -  □ .□  □  4       -  □ .□  □  4
 ─────────            ─────────            ─────────
   2 .□  □  6          2 .□  □  6          2 .□  □  6
```

06

$$
\begin{array}{r}
5\ .\ 3\ \ 8 \\
-\ \ ■\ .\ ▲\ \ ◉\ \ 3 \\
\hline
3\ .\ \square\ \square\ \ 7
\end{array}
$$

```
   5 . 3  8            5 . 3  8            5 . 3  8
 -  □ .□  □  3       -  □ .□  □  3       -  □ .□  □  3
 ─────────            ─────────            ─────────
   3 .□  □  7          3 .□  □  7          3 .□  □  7
```

실력 점검

 ☐ 안에 알맞은 수를 써넣으시오. (01~03)

01

```
  1.86          1.86  → 0.01이 [     ]개          1.86
− 0.9    ➡    − 0.9  → 0.01이 [     ]개    ➡    − 0.9
                     0.01이 [     ]개               [     ]
```

02

```
  7.6           7.6  → 0.01이 [     ]개           7.6
− 2.58   ➡    − 2.58 → 0.01이 [     ]개    ➡    − 2.58
                     0.01이 [     ]개               [     ]
```

03 6.482는 0.001이 [   ]개, 2.78은 0.001이 [   ]개

➡ 6.482−2.78은 0.001이 [   ]개

➡ 6.482−2.78= [   ]

 계산을 하시오. (04~13)

04 12.6−7.84

05 7.54−3.9

06 6.78−1.9

07 10.98−8.4

08 9.8−7.23

09 4.65−3.8

10 6.257−5.98

11 7.849−6.58

12 5.98−2.974

13 11.97−2.842

 □ 안에 들어갈 수 있는 숫자는 모두 몇 개인지 구하시오. (14~15)

14

32.74−19.8<12.9□   (   )

15

8.276−3.94>4.3□3   (   )

 5장의 카드를 모두 사용하여 만들 수 있는 소수 중에서 가장 큰 소수 세 자리 수와 가장 작은 소수 두 자리 수의 차를 구하시오. (16~17)

16

| 5 | 7 | 6 | 9 | . |

(   )

17

| 3 | 4 | 7 | 8 | . |

(   )

18 □와 ○ 안에 1부터 9까지의 숫자를 써넣어 여러 가지 뺄셈식을 만들어 보시오.
(단, ○ 안에 넣을 숫자는 같은 숫자입니다.)

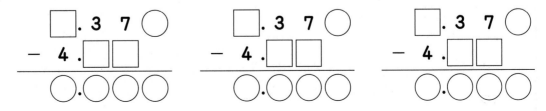

Memo

정답 및 해설

4학년 하권

01 2	02 3
03 I, I	04 I, I
05 4, 2, 6	06 5, 3, 8
07 5, 4, 9, I, 3	08 7, 9, 16, I, 6
09 $\frac{2}{4}$	10 $\frac{4}{5}$
11 $\frac{8}{10}$	12 $\frac{11}{12}$
13 $1\frac{4}{7}$	14 $1\frac{4}{9}$
15 $1\frac{5}{13}$	16 $1\frac{2}{15}$

사고력 기르기
Step 1 | 6쪽

01 2	02 3
03 I	04 4
05 5	06 7
07 4	08 7
09 II	10 10
11 12	12 15
13 3개	14 4개

15 2, 1, $\frac{3}{7}$ / 3, 1, $\frac{4}{7}$ / 3, 2, $\frac{5}{7}$ / 4, 1,

$\frac{5}{7}$ / 4, 2, $\frac{6}{7}$ / 5, 1, $\frac{6}{7}$

16 4, 3, $\frac{7}{7}$ / 5, 2, $\frac{7}{7}$ / 5, 3, $\frac{8}{7}$ / 5, 4,

$\frac{9}{7}$ / 6, 1, $\frac{7}{7}$ / 6, 2, $\frac{8}{7}$ / 6, 3, $\frac{9}{7}$ / 6,

4, $\frac{10}{7}$ / 6, 5, $\frac{11}{7}$

13 □ 안에 들어갈 수 있는 수는 I, 2, 3입니다.

14 □ 안에 들어갈 수 있는 수는 8, 9, 10, II입니다.

사고력 기르기
Step 2 | 8쪽

01 9	02 I2
03 I, 2, 5 / I, 3, 4	

04 I, 2, 8 / I, 3, 7 / I, 4, 6 / 2, 3, 6 / 2, 4, 5

05 풀이 참조

06 $\frac{6}{10}$, $\frac{7}{10}$, $\frac{4}{10}$, $\frac{9}{10}$, $\frac{2}{10}$

07 $\frac{4}{12}$, $\frac{3}{12}$, $\frac{6}{12}$, $\frac{1}{12}$, $\frac{8}{12}$

01 $5+8=1\times$▨$+4$ ➡ ▨$=9$

02 $7+9=1\times$▨$+4$ ➡ ▨$=12$

05

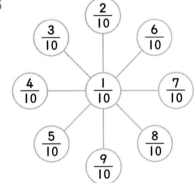

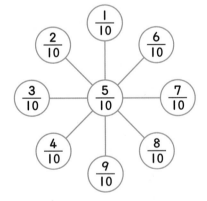

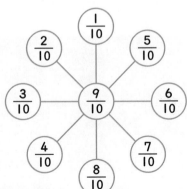

01	5	02	1, 2
03	7, 1, 8	04	4, 9, 13, 1, 2
05	$\dfrac{5}{8}$	06	$\dfrac{5}{7}$
07	$\dfrac{7}{10}$	08	$\dfrac{10}{12}$
09	$1\dfrac{2}{9}$	10	$1\dfrac{6}{11}$
11	$1\dfrac{4}{13}$	12	$1\dfrac{10}{15}$
13	4	14	5
15	5	16	9
17	6	18	7
19	3개	20	5개
21	9	22	15

19 □ 안에 들어갈 수 있는 수는 1, 2, 3입니다.

20 □ 안에 들어갈 수 있는 수는 10, 11, 12, 13, 14입니다.

21 $8+7=1\times$▨$+6 \Rightarrow$ ▨$=9$

22 $8+11=1\times$▨$+4 \Rightarrow$ ▨$=15$

개념 02 받아올림이 없는 대분수의 덧셈 | 12쪽

01	1, 2, 2, 3, 2, 3	02	1, 2, 3, 4, 3, 4
03	2, 3	04	2, 2, 5, 3, 5, 3
05	3, 3, 5, 5, 5, 5	06	7, 4, 11, 3, 2
07	8, 11, 19, 3, 4	08	$6\dfrac{3}{4}$
09	$5\dfrac{4}{5}$	10	$4\dfrac{5}{6}$
11	$7\dfrac{6}{7}$	12	$6\dfrac{7}{8}$
13	$3\dfrac{9}{10}$	14	$5\dfrac{11}{12}$
15	$6\dfrac{12}{15}$		

01	1	02	2
03	2	04	3
05	3	06	1
07	3	08	4
09	1, 2, 3, 4	10	1, 2, 3
11	8, 9, 10	12	1, 2, 3 / 1, 3, 4

13 1, 2, 3 / 1, 3, 4 / 1, 4, 5 / 1, 5, 6 / 2, 3, 5 / 2, 4, 6

14 1, 2, 3 / 1, 3, 4 / 1, 4, 5 / 1, 5, 6 / 1, 6, 7 / 2, 3, 5 / 2, 4, 6 / 2, 5, 7 / 3, 4, 7

01	21	02	28
03	52	04	67
05	29	06	38
07	62	08	56

09 3, 2, 5, 9 (또는 5, 9, 3, 2)
　　3, 9, 5, 2 (또는 5, 2, 3, 9)

10 1, 2, 5 / 1, 3, 4

11 1, 2, 7 / 1, 3, 6 / 1, 4, 5 / 2, 3, 5

12 1, 2, 8 / 1, 3, 7 / 1, 4, 6 / 2, 3, 6 / 2, 4, 5

01	3, 6	02	2, 5, 6, 7, 6, 7
03	23, 14, 37, 3, 7		
04	$3\dfrac{2}{3}$	05	$6\dfrac{6}{7}$
06	$3\dfrac{10}{11}$	07	$3\dfrac{10}{13}$
08	$5\dfrac{8}{9}$	09	$6\dfrac{7}{15}$
10	$9\dfrac{7}{8}$	11	$5\dfrac{15}{18}$
12	1, 2, 3, 4	13	9, 10, 11

14 1, 2, 3 / 1, 3, 4 / 1, 4, 5 / 2, 3, 5
15 22　　　　　　　　**16** 40

15 $2\dfrac{2}{4}+3\dfrac{1}{4}=5\dfrac{3}{4}=\dfrac{23}{4}>\dfrac{\square}{4}$ 이므로

□ 안에 들어갈 수 있는 가장 큰 수는 **22**입니다.

16 $3\dfrac{2}{7}+2\dfrac{4}{7}=5\dfrac{6}{7}=\dfrac{41}{7}>\dfrac{\square}{7}$ 이므로

□ 안에 들어갈 수 있는 가장 큰 수는 **40**입니다.

 개념 **03** 받아올림이 있는
대분수의 덧셈　　　| 20쪽

01 3, 1　　　　　　　**02** 4, 2
03 4, 2　　　　　　　**04** 1, 6, 3, 1, 2, 4, 2
05 2, 5, 5, 1, 2, 6, 2
06 13, 23, 36, 4, 4　**07** 27, 35, 62, 6, 2
08 $4\dfrac{3}{9}$　　　　　　**09** $6\dfrac{2}{5}$
10 $7\dfrac{2}{6}$　　　　　　**11** $6\dfrac{4}{8}$
12 $7\dfrac{7}{10}$　　　　　　**13** $6\dfrac{5}{11}$
14 $4\dfrac{6}{15}$　　　　　　**15** $8\dfrac{4}{12}$

사고력 기르기　　　　Step 1 |　22쪽

01 2　　　　　　　**02** 2
03 4　　　　　　　**04** 5
05 7　　　　　　　**06** 4
07 8　　　　　　　**08** 8
09 6　　　　　　　**10** 3
11 7　　　　　　　**12** 12
13 4개　　　　　　**14** 5개
15 4, 3, 2 / 4, 2, 1
16 6, 5, 4 / 6, 4, 3 / 6, 3, 2 / 6, 2, 1 / 5,
4, 2 / 5, 3, 1

17 7, 6, 5 / 7, 5, 4 / 7, 4, 3 / 7, 3, 2 / 7,
2, 1 / 6, 5, 3 / 6, 4, 2 / 6, 3, 1 / 5, 4, 1

13 5+□>12이므로 □ 안에 들어갈 수 있는 수는
8, 9, 10, 11입니다.

14 □+6>15이므로 □ 안에 들어갈 수 있는 수는
10, 11, 12, 13, 14입니다.

사고력 기르기　　　　Step 2 |　24쪽

01 8　　　　　　　**02** 9
03 10　　　　　　**04** 6
05 6, 7　　　　　　**06** 3, 4, 5
07 4, 5, 6　　　　**08** 7, 6, 5 / 6, 4, 2
09 9, 8, 7 / 8, 6, 4 / 7, 4, 1
10 17, 16, 15 / 16, 14, 12 / 15, 12, 9 /
14, 10, 6 / 13, 8, 3

01 7+5=□+4 ➡ □=8
02 8+4=□+3 ➡ □=9
03 8+7=□+5 ➡ □=10
04 5+5=□+4 ➡ □=6

실력 점검　　　　　　　　| 26쪽

01 4, 3　　　　　　**02** 4, 6, 7, 1, 4, 8, 4
03 22, 16, 38, 4, 2　**04** $5\dfrac{3}{6}$
05 $6\dfrac{4}{8}$　　　　　　**06** $6\dfrac{4}{10}$
07 $8\dfrac{2}{4}$　　　　　　**08** $8\dfrac{6}{9}$
09 $9\dfrac{5}{12}$　　　　　　**10** $8\dfrac{4}{18}$
11 $8\dfrac{10}{20}$　　　　　**12** 3개
13 5개
14 5, 4, 3 / 5, 3, 2 / 5, 2, 1 / 4, 3, 1
15 9　　　　　　　**16** 12

12 4+□>10이므로 □ 안에 들어갈 수 있는 수는 7, 8, 9입니다.

13 □+6>12이므로 □ 안에 들어갈 수 있는 수는 7, 8, 9, 10, 11입니다.

15 8+7=▨+6 ➡ ▨=9

16 9+11=▨+8 ➡ ▨=12

개념 **04** 진분수의 뺄셈 | 28쪽

01 2, 1, 1, 1		**02** 4, 2, 2, 2	
03 6, 4, 2, 2		**04** 7, 3, 4, 4	
05 3, 2, 1		**06** 3, 2, 1	
07 6, 3, 3		**08** 7, 5, 2	
09 4, 1, 3		**10** 4, 3, 1	
11 9, 5, 4		**12** 7, 2, 5	

13 $\dfrac{2}{7}$ **14** $\dfrac{2}{8}$

15 $\dfrac{2}{9}$ **16** $\dfrac{2}{6}$

17 $\dfrac{2}{11}$ **18** $\dfrac{5}{14}$

19 $\dfrac{8}{18}$ **20** $\dfrac{4}{17}$

사고력 기르기 Step 1 | 30쪽

01 2 **02** 8

03 7 **04** 13

05 5 **06** 15

07 $\dfrac{7}{9}$, $\dfrac{1}{9}$, $\dfrac{6}{9}$ **08** $\dfrac{8}{10}$, $\dfrac{2}{10}$, $\dfrac{6}{10}$

09 $\dfrac{7}{8}$, $\dfrac{4}{8}$, $\dfrac{3}{8}$ **10** 4, 2 / 6, 4 / 8, 6

11 7, 2 / 9, 4 / 11, 6

12 5, 3, 1 / 4, 2, 1

13 6, 4, 1 / 6, 3, 2 / 5, 3, 1 / 4, 2, 1

사고력 기르기 Step 2 | 32쪽

01 3, 2, 1 / 6, 4, 2

02 3, 2, 1 / 6, 4, 2 / 9, 6, 3

03 3, 2, 1 / 6, 4, 2 / 9, 6, 3 / 12, 8, 4

04 4개 **05** 풀이 참조

06 풀이 참조

04 2개의 분수의 차가 $\dfrac{10}{15}$이 되려면 빼지는 분수의 분자가 10보다 커야 합니다.

➡ $\dfrac{11}{15} - \dfrac{1}{15} = \dfrac{10}{15}$, $\dfrac{12}{15} - \dfrac{2}{15} = \dfrac{10}{15}$,

$\dfrac{13}{15} - \dfrac{3}{15} = \dfrac{10}{15}$, $\dfrac{14}{15} - \dfrac{4}{15} = \dfrac{10}{15}$

05

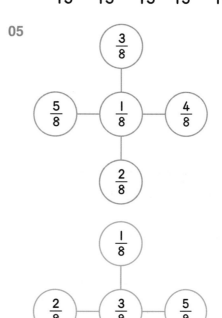

06

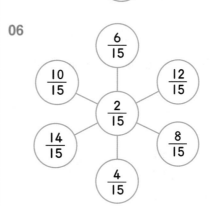

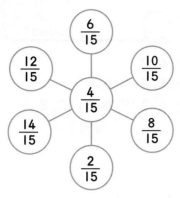

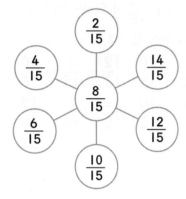

$$\Rightarrow \frac{12}{17} - \frac{1}{17} = \frac{11}{17}, \quad \frac{13}{17} - \frac{2}{17} = \frac{11}{17},$$

$$\frac{14}{17} - \frac{3}{17} = \frac{11}{17}, \quad \frac{15}{17} - \frac{4}{17} = \frac{11}{17},$$

$$\frac{16}{17} - \frac{5}{17} = \frac{11}{17}$$

개념 **05** 받아내림이 없는 대분수의 뺄셈

| 36쪽

01 I, 2, 2, I, 2, I
02 2, 3, 2, I, 2, I
03 21, 10, 11, 1, 3
04 3, 4, 2, 3, 2, 3
05 4, 3, 3, 2, 3, 2
06 25, 10, 15, 2, 1
07 55, 28, 27, 2, 3
08 $1\frac{1}{5}$
09 $5\frac{1}{9}$
10 $4\frac{1}{10}$
11 $1\frac{2}{13}$
12 $2\frac{3}{15}$
13 $1\frac{2}{11}$
14 $2\frac{3}{14}$
15 $1\frac{4}{18}$

실력 점검

| 34쪽

01 3, 2, I, I
02 5, 3, 2, 2
03 7, 2, 5
04 9, 3, 6
05 II, 7, 4
06 8, 4, 4
07 $\frac{3}{8}$
08 $\frac{2}{5}$
09 $\frac{4}{10}$
10 $\frac{3}{11}$
11 $\frac{3}{12}$
12 $\frac{3}{15}$
13 $\frac{6}{13}$
14 $\frac{8}{18}$
15 $\frac{5}{6}, \frac{2}{6}, \frac{3}{6}$
16 $\frac{8}{9}, \frac{1}{9}, \frac{7}{9}$
17 7, 5, 1 / 7, 4, 2 / 6, 4, 1 / 6, 3, 2 / 5, 3, 1 / 4, 2, 1
18 5개

18 2개의 분수의 차가 $\frac{11}{17}$ 이 되려면 빼지는 분수의 분자가 II보다 커야 합니다.

사고력 기르기

Step 1 | 38쪽

01 3, 5
02 4, 2
03 5, 6
04 6, 6
05 8, 4
06 3, 2
07 6, 7
08 2, 7
09 9, 12
10 4, 8
11 7
12 II
13 15
14 17
15 7
16 27
17 17
18 21
19 24
20 31
21 20
22 17
23 14
24 21
25 29
26 40

11 ■가 될 수 있는 수 중 가장 큰 수는 **4**이고 이때 ▲는 **3**입니다. ➡ **4＋3＝7**

15 $3\frac{4}{5}-2\frac{1}{5}=1\frac{3}{5}=\frac{8}{5}>\frac{\Box}{5}$ 이므로

□ 안에 들어갈 수 있는 가장 큰 수는 **7**입니다.

21 $3\frac{7}{8}-1\frac{4}{8}=2\frac{3}{8}=\frac{19}{8}<\frac{\Box}{8}$ 이므로

□ 안에 들어갈 수 있는 가장 작은 수는 **20**입니다.

14 ■가 될 수 있는 수 중 가장 큰 수는 **8**이고 이때 ▲는 **6**입니다. ➡ **8＋6＝14**

15 $3\frac{7}{9}-1\frac{3}{9}=2\frac{4}{9}=\frac{22}{9}<\frac{\Box}{9}$ 이므로

□ 안에 들어갈 수 있는 가장 작은 수는 **23**입니다.

16 $4\frac{8}{12}-2\frac{5}{12}=2\frac{3}{12}=\frac{27}{12}<\frac{\Box}{12}$ 이므로

□ 안에 들어갈 수 있는 가장 작은 수는 **28**입니다.

사고력 기르기 Step 2 | 40쪽

01 3, 2, 1 / 6, 4, 2
02 3, 2, 1 / 6, 4, 2 / 9, 6, 3
03 3, 2, 1 / 6, 4, 2 / 9, 6, 3 / 12, 8, 4
04 5, 3, 1 / 4, 2, 1
05 8, 4, 1 / 8, 3, 2 / 7, 3, 1 / 6, 2, 1
06 9, 4, 1 / 9, 3, 2 / 8, 3, 1 / 7, 2, 1

실력 점검 | 42쪽

01 2, 4, 4, 3, 4, 3   02 3, 3, 2, 2, 2, 2
03 24, 15, 9, 1, 2   04 34, 20, 14, 1, 1
05 $4\frac{2}{4}$ 06 $2\frac{3}{8}$
07 $3\frac{4}{9}$ 08 $1\frac{2}{10}$
09 $3\frac{3}{11}$ 10 $2\frac{2}{13}$
11 $2\frac{5}{14}$ 12 $5\frac{6}{15}$
13 9   14 14
15 23   16 28
17 11, 5, 1 / 11, 4, 2 / 10, 4, 1 / 10, 3, 2 / 9, 3, 1 / 8, 2, 1

13 ■가 될 수 있는 수 중 가장 큰 수는 **5**이고 이때 ▲는 **4**입니다. ➡ **5＋4＝9**

개념 **06** 받아내림이 있는 대분수의 뺄셈 | 44쪽

01 1, 3   02 6
03 2, 2   04 7, 1, 7, 1, 4
05 13, 3, 13, 2, 6   06 35, 13, 22, 2, 6
07 57, 29, 28, 2, 8 08 $\frac{7}{9}$
09 $3\frac{2}{3}$ 10 $3\frac{4}{7}$
11 $3\frac{4}{6}$ 12 $2\frac{6}{11}$
13 $3\frac{11}{14}$ 14 $1\frac{13}{18}$
15 $4\frac{15}{16}$

사고력 기르기 Step 1 | 46쪽

01 5, 6   02 3, 2
03 9, 5   04 2, 7
05 6, 2   06 4, 6
07 8, 5   08 9, 5
09 7   10 8
11 10   12 1, 7 / 2, 8
13 1, 8 / 2, 9 / 3, 10
14 8   15 12
16 15   17 23

09 □+3−5=5, □=5+5−3=7

10 □+4−7=5, □=5+7−4=8

11 □+7−9=8, □=8+9−7=10

12 9+□−△=3 ➡ △−□=6
따라서 △는 □보다 계산 결과의 분모와 분자의 차인 9−3=6만큼 큰 수입니다.

14 △가 될 수 있는 수 중 가장 큰 수는 6이고, 이때 □는 2입니다.
따라서 □+△가 가장 클 때의 값은 2+6=8입니다.

사고력 기르기
Step 2 | 48쪽

01 $\dfrac{21}{4}-\dfrac{10}{4}=\dfrac{11}{4}=2\dfrac{3}{4}$

02 $\dfrac{36}{5}-\dfrac{13}{5}=\dfrac{23}{5}=4\dfrac{3}{5}$

03 $\dfrac{45}{4}-\dfrac{14}{4}=\dfrac{31}{4}=7\dfrac{3}{4}$

04 $\dfrac{30}{7}-\dfrac{13}{7}=\dfrac{17}{7}=2\dfrac{3}{7}$

05 $\dfrac{70}{3}-\dfrac{17}{3}=\dfrac{53}{3}=17\dfrac{2}{3}$

06 $\dfrac{77}{4}-\dfrac{18}{4}=\dfrac{59}{4}=14\dfrac{3}{4}$

07 1, 2, 4 / 2, 3, 4

08 1, 2, 5 / 1, 3, 4 / 2, 3, 5 / 3, 4, 5

09 1, 3, 3 / 3, 4, 4   10 2, 4, 4 / 4, 5, 5

11 1, 3, 3 / 3, 4, 4

12 2, 6, 6 / 4, 7, 7 / 6, 8, 8 / 8, 9, 9

실력 점검
50쪽

01 8, 2, 8, 1, 4   02 11, 1, 11, 1, 4

03 22, 13, 9, 1, 4   04 19, 11, 8, 2, 2

05 $1\dfrac{4}{7}$ 06 $1\dfrac{3}{4}$

07 $\dfrac{5}{9}$ 08 $3\dfrac{4}{5}$

09 $1\dfrac{7}{10}$ 10 $1\dfrac{9}{11}$

11 $1\dfrac{9}{12}$ 12 $3\dfrac{12}{15}$

13 7   14 11

15 10   16 18

17 2, 7, 7 / 4, 8, 8 / 6, 9, 9 / 8, 10, 10 / 10, 11, 11

13 □+2−6=3, □=3+6−2=7

14 □+4−9=6, □=6+9−4=11

15 △가 될 수 있는 수 중 가장 큰 수는 7이고 이때 □는 3입니다. 따라서 □+△가 가장 클 때의 값은 3+7=10입니다.

16 △가 될 수 있는 수 중 가장 큰 수는 12이고 이때 □는 6입니다. 따라서 □+△가 가장 클 때의 값은 6+12=18입니다.

개념 07 소수 두 자리 수
52쪽

01 (1) 영 점 팔육   (2) 영 점 구사   (3) 일 점 오칠
   (4) 사 점 삼육

02 (1) 0.58   (2) 0.27   (3) 9.09   (4) 6.42

03 (1) 8   (2) 0.4   (3) 0.07

04 65   05 92

06 186   07 208

08 0.42   09 0.87

10 1.62   11 4.86

12 8.36   13 6.74

14 9.15   15 7.98

사고력 기르기
Step 1 | 54쪽

01 6, 2.4, 0.07, 8.47

02 8, 0.6, 0.34, 8.94

03　7, 2.4, 0.18, 9.58
04　14, 2.5, 0.12, 16.62
05　4.87　　06　5.28
07　5.94　　08　4.18
09　2.76　　10　5.94
11　0.94

05　4+0.8+0.07=4.87

06　0.2+5+0.08=5.28

07　0.9+0.04+5=5.94

08　0.08+4+0.1=4.18

09　0.06+0.7+2=2.76

10　0.9+5+0.04=5.94

11　0+0.04+0.9=0.94

사고력 기르기
Step 2 | 56쪽

01　6.15　　02　5.48
03　5.74　　04　7.49
05　1, 3, 7　　06　1, 5, 5
07　2, 7, 8　　08　3, 2, 2
09　8, 4, 3

실력 점검
58쪽

01　영 점 일칠　　02　영 점 구삼
03　일 점 영사　　04　오 점 육구
05　0.04　　06　0.57
07　2.96　　08　6.08
09　69　　10　618
11　0.48　　12　5.62
13　9.36　　14　4.69
15　8.07　　16　5.42
17　6.89　　18　4.13
19　7.32　　20　4.63
21　2, 3, 1

17　0.8+6+0.09=6.89

18　4+0.03+0.1=4.13

개념 08 소수 세 자리 수
60쪽

01　(1) 영 점 일삼오　(2) 0.579
　　(3) 이 점 사육팔　(4) 4.076
02　(1) 5　　(2) 0.9
　　(3) 0.06　　(4) 0.002
03　197　　04　654
05　1078　　06　2964
07　0.098　　08　0.476
09　1.024　　10　6.987
11　4.326　　12　9.703
13　1.964　　14　2.058

사고력 기르기
Step 1 | 62쪽

01　7, 2.5, 0.08, 0.006, 9.586
02　6, 0.8, 0.07, 0.029, 6.899
03　7, 1.2, 0.31, 0.005, 8.515
04　8, 0.3, 0.15, 0.024, 8.474
05　2.679　　06　2.187
07　4.273　　08　2.727
09　6.843　　10　6.632
11　3.853

05　2+0.6+0.07+0.009=2.679

06　0.007+2+0.08+0.1=2.187

07　0.003+0.07+0.2+4=4.273

08　0.02+2+0.7+0.007=2.727

09　0.04+6+0.8+0.003=6.843

10　6+0.03+0.002+0.6=6.632

11　0.8+0.003+3+0.05=3.853

사고력 기르기
Step 2 | 64쪽

01	7.476	02	7.374
03	4.18	04	6.165
05	2, 4, 7, 4	06	1, 2, 8, 4
07	4, 1, 4, 2	08	6, 2, 7, 3

실력 점검
66쪽

01	영 점 구영칠	02	0.627
03	사 점 일육오	04	8.972
05	734	06	1576
07	5402	08	0.617
09	1.506	10	6.872
11	8.469	12	9.247
13	4.077	14	2.698
15	6.174	16	5.375
17	7, 1, 3, 8		

13 $0.07 + 4 + 0.007 = 4.077$

14 $2 + 0.008 + 0.09 + 0.6 = 2.698$

개념 09 소수의 크기 비교하기, 소수 사이의 관계
68쪽

01	(1) 628 (2) 653 (3) 6.53		
02	0.01, 0.1, 1 / 0.1, 0.01, 0.001		
03	>	04	<
05	>	06	>
07	<	08	>
09	>	10	<
11	<	12	>
13	57.4, 574	14	607.5, 6075
15	1.25, 0.125	16	9.764, 0.9764

사고력 기르기
Step 1 | 70쪽

01	100배	02	10000배

03	1000배	04	100배
05	20배	06	4000배
07	25.84, 2584	08	135.7, 1357
09	246.7, 24670	10	1450, 1560
11	6560, 6640	12	8125, 8275

13 $3.902, 3\frac{857}{1000}, 3.1, 3\frac{6}{100}, 3\frac{15}{1000}$

14 $4.902, 4\frac{7}{10}, 4.6, 4\frac{29}{100}, 4\frac{274}{1000}$

15 $8\frac{976}{1000}, 8.86, 8\frac{81}{100}, 8.5, 8\frac{29}{100}$

10 작은 눈금 한 칸의 크기는 0.01 km = 10 m입니다.

11 작은 눈금 한 칸의 크기는 0.02 km = 20 m입니다.

12 작은 눈금 한 칸의 크기는 0.025 km = 25 m입니다.

사고력 기르기
Step 2 | 72쪽

01	2	02	5
03	4	04	5
05	6	06	6
07	3	08	2
09	3	10	7
11	6	12	8
13	3	14	3
15	3	16	8
17	96개	18	82개
19	517개	20	142개
21	ⓛ, ⓐ, ⓒ	22	ⓐ, ⓛ, ⓒ
23	ⓛ, ⓒ, ⓐ		

실력 점검
74쪽

01	497, 486, 4.97		
02	1924, 1928, 1.928		

03	<	04	>
05	<	06	<
07	>	08	<

09 19.27, 192.7, 1927
10 47.8, 4.78, 0.478

11	65.48, 6548	12	596, 5960
13	4	14	6
15	5	16	7

17 ㉡, ㉢, ㉠

개념 10 자릿수가 같은 소수의 덧셈 | 76쪽

01 27, 15, 42, 4.2
02 365, 284, 649, 6.49
03 876, 1295, 2171, 2.171
04 97, 2908, 3005, 3.005
05 18, 29, 47, 4.7
06 408, 216, 624, 6.24
07 4258, 1076, 5334, 5.334

08	5.9	09	11.4
10	11.3	11	9.5
12	2.72	13	11.11
14	15.69	15	12.79
16	3.843	17	9.002

사고력 기르기 Step 1 | 78쪽

01	3.26	02	1.11
03	5.31	04	1.23
05	1.544	06	4.251
07	3.436	08	4.424
09	6, 3, 8	10	2, 2, 4, 3
11	4, 2, 2	12	2, 4, 5, 1
13	5, 3, 9	14	8, 4, 9, 5
15	5, 3, 7, 4	16	4, 7, 5, 8
17	0, 1, 2, 3, 4	18	7, 8, 9
19	0, 1, 2, 3, 4	20	6, 7, 8, 9

사고력 기르기 Step 2 | 80쪽

01 풀이 참조   02 풀이 참조
03 4, 6, 7, 0, 2 / 4, 6, 8, 0, 3 / 4, 6, 9, 0, 4 / 4, 7, 8, 1, 3 / 4, 7, 9, 1, 4 / 4, 8, 9, 2, 4
04 3, 4, 9, 1, 2 / 3, 5, 9, 1, 3 / 3, 6, 9, 1, 4 / 3, 7, 9, 1, 5 / 3, 8, 9, 1, 6

01

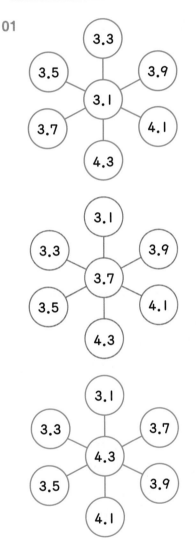

02

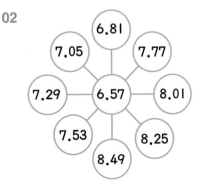

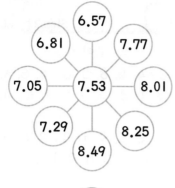

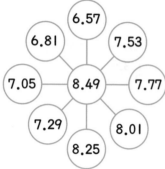

개념 11 자릿수가 다른 소수의 덧셈 | 84쪽

01	460, 258, 718, 7.18		
02	376, 280, 656, 6.56		
03	1985, 4670, 6655, 6.655		
04	2893, 3700, 6593, 6.593		
05	148, 380, 528, 5.28		
06	580, 415, 995, 9.95		
07	3724, 5680, 9404, 9.404		
08	1.66	**09**	1.42
10	6.28	**11**	11.94
12	4.82	**13**	10.38
14	9.029	**15**	7.794
16	15.296	**17**	8.938

사고력 기르기
Step 1 | 86쪽

01	1.6	**02**	2.18
03	3.32	**04**	5.35
05	2.55	**06**	3.451
07	3.5	**08**	4.823
09	4, 8, 7	**10**	7, 8, 5, 3
11	5, 9, 4	**12**	9, 7, 9, 1
13	7, 9, 1, 2	**14**	9, 7, 3, 1, 1
15	6, 1, 5, 7	**16**	4, 8, 9, 2
17	0, 1, 2, 3, 4	**18**	0, 1, 2, 3, 4, 5
19	7, 8, 9	**20**	6, 7, 8, 9

실력 점검
| 82쪽

01	37, 26, 63, 6.3		
02	165, 258, 423, 4.23		
03	3456, 1027, 4483, 4.483		
04	1.2	**05**	2.4
06	11.2	**07**	13.2
08	10.54	**09**	4.93
10	15.47	**11**	11.06
12	5.615	**13**	10.509
14	4, 9, 6	**15**	5, 3, 9, 2
16	8, 9	**17**	0, 1, 2, 3
18	풀이 참조		

18 예

사고력 기르기
Step 2 | 88쪽

01 1, 6, 0, 6, 6, 6 / 2, 7, 1, 7, 7, 7 / 3,
8, 2, 8, 8, 8 / 4, 9, 3, 9, 9, 9

02 0, 5, 0, 8, 5, 5, 5, 5 / 1, 6, 1, 9, 6, 6,
6, 6 / 2, 7, 3, 0, 7, 7, 7, 7 / 3, 8, 4,
1, 8, 8, 8, 8 / 4, 9, 5, 2, 9, 9, 9, 9

03 5, 4, 0, 1, 4, 4, 4, 4 / 6, 5, 1, 2, 5, 5,
5, 5 / 7, 6, 2, 3, 6, 6, 6, 6 / 8, 7, 3,

4, 7, 7, 7, 7 / 9, 8, 4, 5, 8, 8, 8, 8 /
0, 9, 5, 7, 9, 9, 9, 9

04 2, 5, 8, 0, 0 / 3, 4, 5, 8, 7 / 3, 5, 7,
9, 9

05 3, 6, 9, 0, 0 / 4, 5, 6, 8, 7 / 4, 6, 8,
9, 9

06 0, 4, 8, 0, 0 / 1, 2, 3, 7, 5 / 1, 3, 5,
8, 7 / 1, 4, 7, 9, 9

실력 점검 | 90쪽

01 584, 290, 874, 8.74
02 769, 4850, 5619, 5.619
03 6250, 1087, 7337, 7.337
04 8.25   05 10.76
06 10.41   07 14.58
08 21.62   09 15.38
10 4.438   11 11.054
12 11.137   13 14.552
14 6개   15 4개
16 4개   17 5개
18 1, 4, 7, 0, 0 / 1, 5, 9, 1, 2 / 2, 3, 4,
8, 7 / 2, 4, 6, 9, 9

 ## 개념 12 자릿수가 같은 소수의 뺄셈 | 92쪽

01 42, 27, 15, 1.5
02 365, 124, 241, 2.41
03 5087, 1254, 3833, 3.833
04 69, 17, 52, 5.2
05 498, 218, 280, 2.8
06 7845, 5198, 2647, 2.647
07 4.7   08 2.7
09 0.8   10 4.8
11 2.51   12 5.29
13 6.91   14 15.87
15 3.729   16 0.877

사고력 기르기 | Step 1 | 94쪽

01 4.71   02 1.713
03 2.51   04 4.889
05 5.25   06 3.913
07 10.79   08 13.505
09 3, 8, 6   10 1, 5, 3, 1
11 3, 3, 6   12 2, 7, 8, 5
13 1, 9, 5   14 8, 2, 7, 7
15 5   16 5
17 4   18 7
19 3개   20 3개
21 4개   22 6개

사고력 기르기 | Step 2 | 96쪽

01 0, 8   02 4, 7, 8
03 1, 6, 4   04 1, 7, 6, 4
05 1, 4, 5, 2 / 3, 4, 7, 2 / 5, 4, 9, 2
06 9, 5, 7, 3, 2, 1 / 9, 5, 7, 1, 2, 3
07 8, 3, 2, 6, 9, 1 / 8, 3, 2, 1, 9, 6 / 9,
2, 3, 6, 8, 1 / 9, 2, 3, 1, 8, 6

실력 점검  | 98쪽

01 36, 15, 21, 2.1
02 475, 128, 347, 3.47
03 6275, 3158, 3117, 3.117
04 5.3   05 2.1
06 4.9   07 7.2
08 2.34   09 2.13
10 1.91   11 9.79
12 6.141   13 3.087
14 6, 4, 4   15 3, 7, 4, 3
16 4개   17 3개
18 8, 4, 2   19 7, 8, 6, 9

01 672, 380, 292, 2.92
02 970, 564, 406, 4.06
03 2625, 780, 1845, 1.845
04 476, 290, 186, 1.86
05 1170, 869, 301, 3.01
06 5796, 1970, 3826, 3.826
07 4.88   08 0.44
09 0.79   10 3.44
11 8.45   12 2.95
13 3.438   14 0.477
15 1.214   16 10.327

사고력 기르기 Step 1 | 102쪽

01 4.1   02 4.08
03 3.4   04 7.17
05 1.13   06 2.566
07 2.23   08 5.932
09 2, 8, 4   10 6, 7, 0, 5
11 7, 2, 9   12 5, 6, 4, 4
13 2, 4, 7   14 8, 3, 4, 5
15 6개   16 3개
17 2개   18 4개
19 6.039   20 16.038
21 28.017

19 가장 큰 소수 세 자리 수 : 7.531
가장 작은 소수 두 자리 수 : 13.57
➡ 13.57−7.531=6.039

20 가장 큰 소수 세 자리 수 : 8.642
가장 작은 소수 두 자리 수 : 24.68
➡ 24.68−8.642=16.038

21 가장 큰 소수 세 자리 수 : 9.873
가장 작은 소수 두 자리 수 : 37.89
➡ 37.89−9.873=28.017

사고력 기르기 Step 2 | 104쪽

01 5, 1, 1, 1, 1, 1 / 8, 3, 9, 3, 3, 3 / 9, 4, 8, 4, 4, 4
02 3, 1, 2, 6, 1, 1, 1, 1 / 4, 2, 1, 5, 2, 2, 2, 2 / 7, 4, 9, 3, 4, 4, 4, 4 / 8, 5, 8, 2, 5, 5, 5, 5 / 9, 6, 7, 1, 6, 6, 6, 6
03 2, 1, 3, 5, 1, 1, 1, 1 / 3, 2, 2, 4, 2, 2, 2, 2 / 4, 3, 1, 3, 3, 3, 3, 3 / 7, 5, 9, 1, 5, 5, 5, 5 / 9, 7, 6, 9, 7, 7, 7, 7
04 3, 4, 5, 2, 4 / 3, 5, 7, 1, 2 / 3, 6, 9, 0, 0
05 3, 5, 7, 9, 9 / 3, 6, 9, 8, 7 / 4, 5, 6, 0, 0
06 1, 4, 7, 9, 0 / 1, 5, 9, 7, 8 / 2, 3, 4, 0, 3

실력 점검 | 106쪽

01 186, 90, 96, 0.96
02 760, 258, 502, 5.02
03 6482, 2780, 3702, 3.702
04 4.76   05 3.64
06 4.88   07 2.58
08 2.57   09 0.85
10 0.277   11 1.269
12 3.006   13 9.128
14 5개   15 4개
16 47.025   17 26.037
18 5, 1, 2, 6, 1, 1, 1, 1 / 6, 2, 1, 5, 2, 2, 2, 2 / 9, 4, 9, 3, 4, 4, 4, 4

16 가장 큰 소수 세 자리 수 : 9.765
가장 작은 소수 두 자리 수 : 56.79
➡ 56.79−9.765=47.025

17 가장 큰 소수 세 자리 수 : 8.743
가장 작은 소수 두 자리 수 : 34.78
➡ 34.78−8.743=26.037

Memo

Memo